간호대생을 위한

실습준비노트

다나카 미호 / 하치가사키 레이코
(田中 美穗) (蜂ケ崎 令子)

군자출판사

간호대생을 위한

실습준비노트

첫째판 1쇄 인쇄 | 2016년 7월 20일
첫째판 1쇄 발행 | 2016년 8월 1일

지 은 이 다나카 미호(田中 美穗), 하치가사키 레이코(蜂ヶ崎 令子)
옮 긴 이 공순복
발 행 인 장주연
출 판 기 획 조은희
편집디자인 박선미
표지디자인 이상희
발 행 처 군자출판사
등록 제4-139호(1991. 6. 24)
본사 (10881) **파주출판단지** 경기도 파주시 회동길 338(서패동 474-1)
전화 (031) 943-1888 팩스 (031) 955-9545
홈페이지 | www.koonja.co.kr

Authorized translation from the Japanese language edition, entitled
看護学生のための 実習の前に読む本
ISBN: 978-4-260-02076-3
著: 田中 美穂 / 蜂ヶ崎 令子
published by IGAKU-SHOIN LTD., TOKYO Copyright© 2015

ISBN 979-11-5955-075-1

정가 25,000원

저자의 자기소개

사람들이 쾌적하게 일상적인 생활을 지낼 수 있도록 다나카(田中)는 노작을, 하치가사키(蜂ケ崎)는 동작을 연구하고 있습니다. 그런 두 사람이 간호학생들에게 재미를 느끼게 하기 위한 책을 만들었습니다.

목적 · 목표나 보고 등의 신경이 쓰이는 사물의 구조를 다나카(田中)가 담당하고, 가려운 곳에 손이 미치는 간호기술의 방법이나 그 근거를 하치가사키(蜂ケ崎)가 담당하며, 앞으로 임상실습에 투입되는 학생에 대한 성원과 사랑을 담아서 1권의 책을 완성했습니다. 한 번 다 읽은 책이라도 단순한 매뉴얼이 아니니 꼼꼼히 읽어 보십시오.

▶ **다나카 미호(田中 美穂)가 집필한 것은…**

Ⅰ. 실습 전 대책

Ⅱ. 지도자와의 관계

Ⅲ. 간호보조기술(1과 2)

Ⅵ. 실습기록 작성법

Ⅶ. 집으로 귀가

▶ **하치가사키 레이코(蜂ケ崎 令子)가 집필한 것은…**

Ⅲ. 간호보조기술(3~9)

Ⅳ. 관찰의 포인트

Ⅴ. 사고

머리말

실습의 추천

간호학은 단순히 현실과 격리된 이론이 아니라 실천을 수반하는 학문입니다. 사람을 간호하는 능력을 사람과 관련된 체험을 통해 익히기 위해서, 교실을 임상으로 옮겨서 배우는 것이 임상실습입니다.

임상실습은 간호학을 배우기 위해서 절대로 피해갈 수 없는 산이나 계곡입니다. 만난지 얼마 안 되는 환자의 좋은 옹호자가 되기 위해서, 대화를 나누거나 신체를 닦아주면서 조금씩 신뢰관계를 쌓아가는 것은 간단한 일이 아닙니다. 기뻐하기도 좌절하기도 하면서, 조금씩 앞으로 전진합시다.

실습은 간호를 좋아하거나 싫어함에 따라 크게 영향을 받습니다. '사람이 좋고, 간호가 좋아서' 간호의 길을 선택한 사람도, 또는 그 정도는 아닌 사람도 앞으로 당면하는 실습에 큰 불안을 느끼고 긴장감 때문에 잠 못 드는 날들이 계속될지도 모릅니다. 그럴 때 이 책을 펴 보십시오. 실습 중에 극복해야 할 과제를 어떻게 해결하면 되는지, 어떻게 행동해야 하는지, 힌트가 되는 것이 이 책에 많이 담겨 있습니다.

누구나 바로 환자에게 다가가서 간호를 할 수 있는 것이 아닙니다. 베테랑간호사도 교수도, 모두 임상실습을 극복한 것입니다. 우리들은 간호의 선배로서, 여러분이 필요이상으로 불안이나 두려움을 안고 실습이 싫어지지 않도록 응원하기 위해 이 책을 만들었습니다.

자, 용기를 내어 첫 발을 내딛읍시다!

2015년 1월

다나카 미호(田中 美穗) · 하치가사키 레이코(蜂ケ崎 令子)

차례

실습인가… 기다려지네…

아직 시작하지 않았구나!

차례

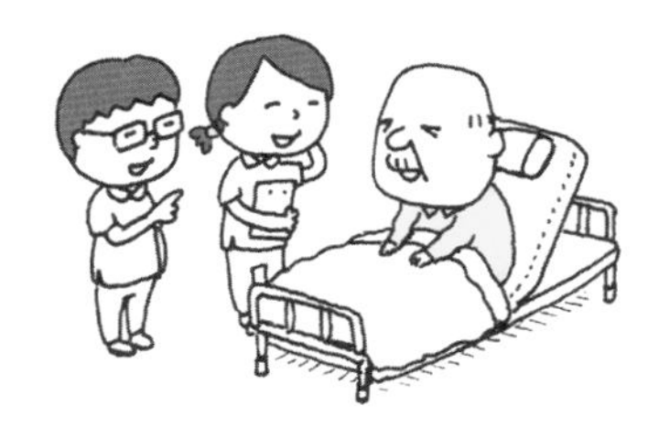

여러분의 실습을
진심으로 응원하기 위해서
상세한 노하우를
가득 실었습니다!

I 실습 전 대책

1 실습 전에 확인해 둘 일

입학한 후 매일 인체의 구조와 기능, 약리학 등 교실에서 많은 내용을 배워 왔습니다. 실습실에서는 동기들을 상대로 술기 연습도 했습니다.

자, 다음은 마침내 임상실습입니다! 자신이 언제, 어느 영역의 실습에 갈 것인지 학교의 연간 계획안을 확인하십시오. 준비에는 예방접종과 같이 시간이 걸리는 것도 있습니다. 직전에 당황하지 않도록 계획적으로 준비를 갖춰둡니다.

실습은 잘 틈이 없을 정도로 매우 힘들다…
고 들었는데 정말일까?

무엇 때문에 실습을 가는가? 잘 생각해 보자!

실습이 기다려지는 사람도, 그렇지 않은 사람도, 우선 '임상에 가는 것이다!'라고 자각합니다. 환자나 간호사의 일상의 장소로 들어가서 공부하는 것이니까, 아무 생각 없이 실습에 임한다면 협조해 주시는 분들에게 실례입니다.

실천적으로 임상에서 학습하는 경우, '환자와의 인간관계나 증상의 변화, 임상의 상황에 맞추어, 자신을 컨트롤해야 한다'는 마음가짐을 합니다.

간호과정이나 간호보조를 체험하는 것도 중요하지만 상대의 입장에서 상황을 돌아보고 팀워크를 체험하며, 자신을 되돌아보는… 실습은 의료인으로서의 자각이나 사회성을 익혀가는 과정이기도 합니다.

Step 1 실습의 목적 · 목표 이해

▶ 실습의 목적 · 목표를 확인한다

기초간호학 실습이나 성인간호학 실습 등 종류에 따라서 실습의 목적 · 목표가 달라집니다. 학교에 따라서 다소의 차는 있지만, 산을 오르듯이 조금씩 착실하게 간호학의 높은 지식과 기술을 익히기를 바라며 고안해 낸 것입니다.

이번 실습에서, 자신이 무엇을 얻기 위해서 임상으로 가는가? 목적 · 목표를 확실히 이해하는 것부터 시작합니다.

① 실습의 목적

'무엇을 위해서 실습에 가는가?'가 목적입니다. 일반적으로 목적에는 '어디로 향하는가?', 그 목적지가 명확히 기술되어야 합니다. 표현이 추상적인 경우도 있으므로, 이해할 수 없을 때는 교수님께 질문합니다. 중요한 점은, 목적지를 제대로 이해하고 있는 것입니다. 그렇지 않으면, 실습 중에 무엇을 해야 할지 몰라서 길을 잃게 될지도 모릅니다.

예 간호보조를 필요로 하는 사람들과 임상에서의 직접적 관계를 통해서, 요구를 이해하고, 기존의 지식 · 기술을 사용하여, 기본적인 케어방법을 배운다.

② 도달목표

'실습에서 달성해야 할 것'이 목표입니다. 일반적으로 목표에는 '목적에 접근하기 위해서 해야 할 것'이 구체적으로 기술되어 있습니다. 목표는 각각 '현실적으로 달성할 수 있는 것'이 전제조건이 되어 있으므로, 자신이 어떻게 행동하면 '○○할 수 있다'든가, 이미지해 두면 좋은 예습이 됩니다.

예 1. 대상에게 관심을 가지고, 상대의 입장이 되어 생각할 수 있다.
2. 대상의 건강상의 문제가 현재의 생활행동에 미치는 영향을 설명할 수 있다.
3. 자신이 실시한 간호를 기록하여, 되돌아 볼 수 있다.

▶ **'나'의 목표를 세워본다**

실습은 자신을 성장시키는 귀중한 기회이기도 합니다. 자신의 강점과 약점을 파악하여 다음 실습을 향해서 구체적인 '나'의 목표를 설정해 봅니다.

사람과 대화하는 것이 서툰 약점이 있다면, 환자와의 화제를 사전에 생각해 봅니다. 또 통학시간이나 자기학습시간이 늘어나는 실습 중에는 체력이 승부이므로, 신체의 체력이 큰 장점입니다. 그러므로 체력을 키워두는 것도 구체적인 목표가 됩니다.

실습에서는 환자가 중심이 되어야 합니다

자신감을 키우는 것도 중요하지만, 실습 그 자체의 목적·목표를 달성하지 못하면 주객이 전도되는 것입니다. 실습 중에 가장 고려해야 하는 것은, 자신이 아니라 환자입니다. 자기연마나 자아찾기는 '적당히' 합니다.

Step 2 자신의 '면역력'

▶ 간호사가 감염증을 예방하는 이유

실습 중에 감염증이 발생한 경우, 실습을 중단하는 것이 최선의 해결책은 아닙니다. '잠복기간'을 알고 있습니까? 병원체가 체내에 침입하여(이 시점을 '감염'이라고 함), 증상 발생에 필요한 정도까지 증식하는 기간을 말합니다. 문제는 증상이 나타나지 않는 잠복기간 중에도 병원체가 체외로 배출되어, 사람에게 감염된다는 것입니다.

예를 들어 홍역의 잠복기간은 약 10~12일, 바이러스 배출기간은 발진출현 4일 전부터 출현 후 5일 정도로 되어 있습니다(표 1). 즉 홍역의 초기증상인 열 · 기침 · 콧물이 나타나기 전부터, 당신은 주변에 바이러스를 전파시키고 있는 것입니다.

담당환자가 항암제 치료 중이라면? 그 같은 병실의 환자가 90세의 고령환자라면? 만일 그들이 홍역의 항체를 가지고 있지 않은 경우, 당신이 환자의 건강을 해치는 원흉이 될 우려가 있습니다.

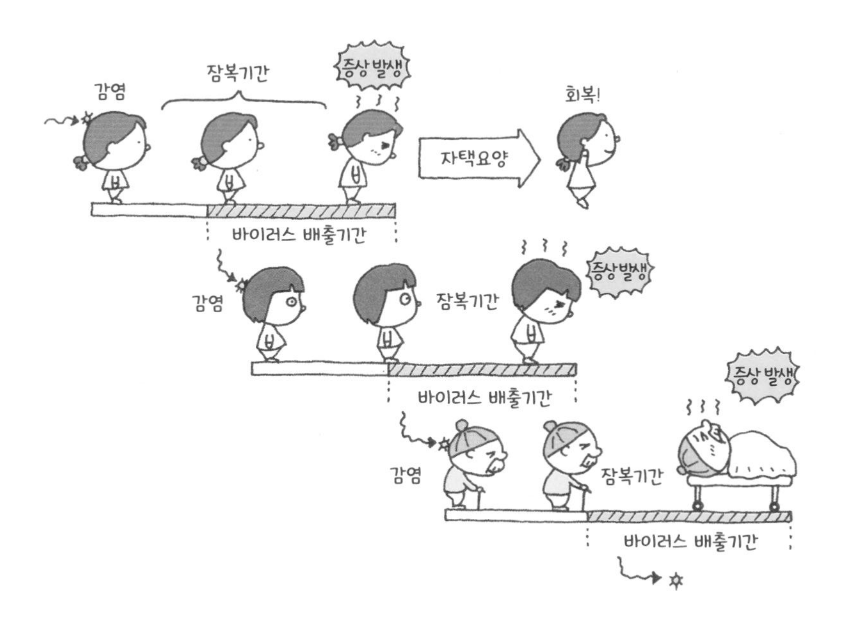

표 1 대표적 감염증의 잠복기간과 감염기간

감염증 (일반명 · 속명)	발생률	잠복기간	감염기간
수두(varicella)	90%	10~21일	2일 전~증상 발생 후 5일
홍역(measles)	90% 이상	10~12일	4일 전~증상 발생 후 5일
풍진(rubella)	70%	16~18일	3일 전~증상 발생 후 5일
유행성이하선염 (mumps; 볼거리)	70%	평균 18일	7일 전~증상 발생 후 9일
인플루엔자	높음	1~4일	증상 발생 후 3일간

※잠복기간은 바이러스의 종류 · 침입한 병원체의 수 · 침입의 경로 · 피감염자의 면역상태에 따라서 다르다.

또 환자 A → 자신 → 환자 B 등 자신을 통해서 감염을 확대하는 '교차감염도 의료인으로서 범해서는 안됩니다. 감염예방행동이 필요하다고 알고 있으면서 지키지 못한 경우에 관해서 앞으로 더욱 더 의료인의 책임과 자각, 윤리관을 묻게 될 것입니다.

▶ 예방의학의 기초지식

감염을 일으키면, 신체는 그 병원체(항원)에 방어반응을 일으켜서 항체를 만듭니다. 그 때문에 혈액 속의 항체가(antibody titer)를 검사하면, 예전에 어느 병원체에 감염된 적이 있는지 알 수 있습니다. 항체가가 일정한 기준치보다 높으면, 그 병원체에 '면역이 있으므로' 걸리지 않게 됩니다.

항원을 미리 흡수하여 감염에서 신체를 지키는 것이 예방접종입니다. 그러나 과거에 예방접종을 받았어도, 시간이 경과함에 따라서 항체가가 저하되는 경우가 있습니다. 병이나 치료를 위해서 면역력이 저하되어 있는 환자와 접하는 의료인은 자신의 항체가를 파악하고, 감염예방에 힘써야 합니다.

▶ 자신의 항체가를 파악한다

일본환경감염학회의 가이드라인에, 의료종사자에 대한 인플루엔자, B형간염, 홍역, 풍진, 수두, 유행성이하선염 등의 백신접종의 기준이 정리되어 있습니다.

항체가 음성 · 양성으로 표기되어 있는 경우, 충분한 면역은 없지만, 음성이 아닌 수치(표 2 의 *)가 양성에 포함되어, 예방으로는 충분하지 않습니다. 자신의 항체가는 수치로 파악해 둡니다.

① 홍역, 풍진, 수두, 유행성이하선염

앞에서 기술한 가이드라인에는 의료관계자(실습학생 포함)가 감염된다면, 본인의 중증화의 가능성뿐 아니라, 주위의 환자나 의료관계자로의 감염원이 된다는 점에서, '면역을 획득한 후에 근무 · 실습을 시작할 것을 원칙으로 한다'고 기재되어 있습니다.

표 2 검사방법과 면역 유 · 무의 판단기준의 표준

질환명	검사법	충분한 면역 없음 (기준치 이하)		충분한 면역 있음 (기준 충족)
		음성	음성이 아니다*	
홍역	중화법	4배 미만	4배	8배 이상
	EIA법(IgG)	2 미만	16 미만	16 이상
풍진	HI법	8배 미만	16배	32배 이상
	EIA법(IgG)	2 미만	8 미만	8 이상
수두	IAHA법	2배 미만	2배	4배 이상
	EIA법(IgG)	2 미만	4 미만	4 이상
유행성이하선염 (볼거리)	EIA법(IgG)	2 미만	4 미만	4 이상

※ 실습시설에 따라서 기준이 다르지만, '음성이 아니다'보다 확실한 '충분한 면역 있음' 레벨을 기준으로 한다.

참고문헌 일본환경감염학회 백신에 관한 가이드라인 개정위원회 : 의료관계자를 위한 백신가이드라인 제2판, 일본환경감염학회, 2014.

② B형간염

앞에서 기술한 가이드라인에는 의료기관에서 환자나 환자의 혈액 · 체액을 접할 가능성이 있는 경우, 'B형간염에 감수성이 있는 모든 의료관계자에게 B형간염백신접종을 실시해야 한다'고 기재되어 있습니다.

항체를 얻기까지 1세트 0 · 1 · 6개월의 3회 접종을 해야 합니다. 평가는 3회째 접종부터 1~2개월 후에 HBs항체검사를 하고, EIA법 등으로 10 mIU/mL 이상인 경우는 면역획득이라고 봅니다. 항체가 상승이 보이지 않는 경우는, 다시 1세트 접종을 해야 합니다.

③ 인플루엔자

백신접종 후에 효과가 나타나기까지 약 2주간 걸리며, 효과는 약 5개월간 지속됩니다. 한국에서는 12월 말경부터 2월 중순경에 유행한다는 점에서, 12월 초까지는 접종을 완료하여 조기에 항체가 생기게 해야 합니다.

▶ 예방접종은 계획적으로!

백신접종은 하면 바로 항체가 생기는 것이 아닙니다. 백신의 종류에 따라서 접종에서 1~2개월 후에 항체가를 검사하여 평가해야 합니다.

표 2에 나타낸 수치는 어디까지나 기준이지만, 최근에는 기준치 이상의 항체가(표 2의 오른쪽 끝)를 유지하도록 의무를 부여하는 병원도 적지 않습니다. '실습까지 항체가를 검사했더니 기준치 이하였다! 어떡하지? 실습에 갈 수가 없어…' 이런 경우가 되지 않도록, 실습에 나가는 시기부터 거슬러 계산하여 계획적으로 백신접종을 해야 합니다. 항체가가 기준치 이하였던 감염증을 체크하고, 계획적인 백신접종의 모델을 만들어 봅니다(표 3, 그림 1).

표 3 백신접종의 조건표

백신	접종회수	평가법	주의점
홍역, 풍진, 수두 유행성이하선염	1회 또는 2회	접종 1개월 후에 채혈로 평가	4종의 백신을 복수로 동시 접종하는 것이 가능. 1종씩인 경우, 바이러스의 간섭을 방지하기 위해서, 27일 이상의 간격을 두고 다음 백신을 접종
B형간염	3회 1세트 (0 · 1 · 6개월 후)	3회째 접종부터 1~2개월 후에 채혈로 평가	평가에 따라서 다시 1세트 접종
인플루엔자	매년 1회	효과출현까지 2주 간 정도	다른 백신과의 접종간격은 6일

백신접종의 최단모델(4종 복수 동시접종인 경우)

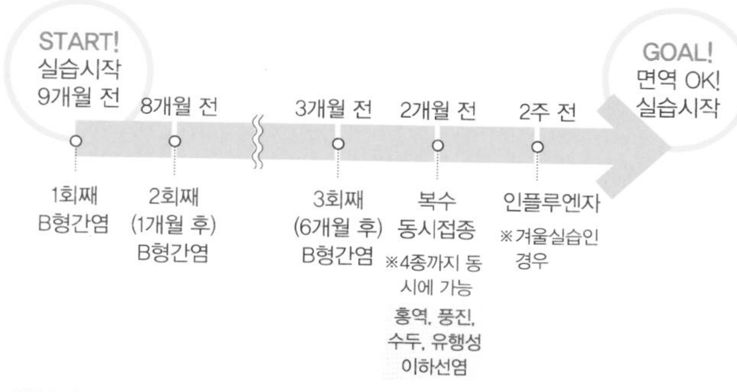

백신접종의 최장모델(1종씩 접종인 경우)

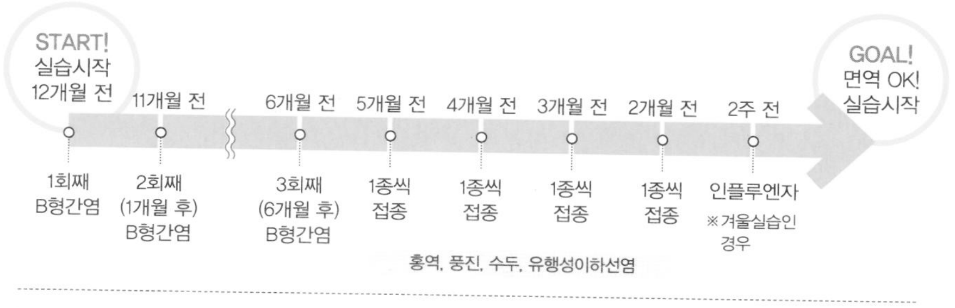

그림 1 백신접종의 모델

Step 3 실습에 빠질 수 없는 7가지 도구

① 청결이 기본, 실습복과 신발

실습복이나 신발의 오염은 상대에게 '깔끔하지 못한 사람'이라는 인상을 줍니다. 다림질을 한 실습복은 가방 속에서 쭈글쭈글해지지 않도록 깨끗하게 접어서 다른 가방에 넣도록 합니다.

또 일상에서도 식사하는 곳이나 환자의 문병에는 향기를 삼가는 것이 매너입니다. 악취가 아닌 허브나 꽃향기라도 너무 심하면 해가 됩니다. 침상에서 식사나 휴식을 취하는 환자에게 불쾌감을 주지 않도록 향수나 아로마, 유연제 등은 향기의 강도를 배려해 사용합니다.

② 피부를 지키는 중요한 아이템, 신발

실습복이 원피스일 때는 스타킹, 바지일 때는 구부렸을 때에 살이 보이지 않는 길이의 양말을 착용합니다. 오물이나 약품의 비말로부터 1차적으로 피부를 지켜줍니다.

③ 자신을 밝히는 명찰

실습복을 입었다고 해서 방심은 금물입니다. 담당환자 이외에는 당신이 간호사인지 학생인지 모릅니다. 명찰로 자신의 이름, 소속을 확실히 하여 환자나 가족을 안심시킵니다.

④ 머리 & 메이크업도구

길든 짧든 머리가 흐트러지면 피곤한 인상을 줍니다. 머리카락은 깔끔하게 정리합니다. 움직이는 동안에 흐트러질 것을 생각하여, 머리고무줄이나 핀은 여분으로 가지고 다닙니다.

또 실습 중에는 시간이 없다는 핑계로 화장을 하지 않는 학생도 많은 것 같습니다. 맨얼굴도 좋지만 피곤해지거나 얼굴색이 나쁜 경우를 대비하여, 볼터치나 색깔 있는 립크림 등의 간단한 메이크업 도구도 준비해 둡니다.

⑤ 메모장과 펜

환자 개인의 정보를 보호하기 위해서 메모장은 종이가 한 장씩 떨어지지 않는 것을 준비합니다. 또 메모장째 잃어버리지 않도록 주머니에 들어갈 정도의 크기로 준비하여 끈 등으로 가운에 연결해 두면 안심입니다.

⑥ 익숙하게 사용하던 교과서나 참고서, 직접 쓴 수업노트

평소에 교과서를 활용하고, 아울러 자신이 사용하기 쉬운 참고서를 지참할 것을 권합니다.

또 질환이나 간호술기 등 수업노트나 교수님이 배부한 관련자료를 정리하여, 자신만의 노트를 만들어 두면 도움이 됩니다. 실습에서 배운 것을 첨부하면, 다음 실습에서도 사용할 수 있습니다.

⑦ 파일링한 실습요항과 실습기록

실습요항은 실습목적 · 목표를 비롯하여, 실습에 관한 규정이 기재되어 있습니다. 필요할 때에 바로 확인할 수 있도록 실습 중에는 기록물과 함께 파일링하여 가지고 다닙니다.

실습기록에는 환자의 정보가 매일 쌓여갑니다. 이름이나 연령을 익명으로 해도 종이가 떨어져서 환자정보기록지를 잃어버리는 경우는 절대로 용납되지 않습니다. 클리어파일이 아니라, 구멍뚫린 파일로 단단히 철해둡니다.

Step 4 주요사항 체크

실습에 대비하여 몸의 상태를 정비하고 필요한 소지품을 확인했으면, 실습 전에 다시 한 번 주요사항을 체크해 둡니다.

□ 실습지로의 통학경로, 소요시간을 파악하고 있습니까?

□ 실습 첫날의 집합시간, 집회장소를 알고 있습니까?

□ 문제발생 시의 연락처, 연락방법을 알고 있습니까?

- 아침에 늦잠 등으로 지각할 때
- 통학 중, 몸의 상태가 좋지 않을 때
- 통학 중, 사고 등의 문제로 실습지에 갈 수 없을 때… 등

□ 화재발생 시의 대처방법을 알고 있습니까?

- 통학 중
- 실습 중

학교에는 대규모 재해 시 매뉴얼이 정비되어 있을 것입니다. '설마' 하는 일이 실습 중에 일어날지도 모릅니다. 반드시 사전에 확인해 둡니다.

실습 시의 몸가짐에 관하여

'학내에서 강의 중에 머리를 갈색으로 염색하고 손톱에 매니큐어를 칠했다고 교수님께 불려나갔다', '실습 이외에도 컬러렌즈 사용금지' 등 예전에는 간호학생의 복장에 대한 규정이 엄격했습니다.

현재는 365일 계속 갈색머리든 손톱이든 컬러렌즈가 전부 금지인 경우가 줄어들고 있습니다.

규정에 여유가 있다는 것은 그만큼 자기관리 능력이 요구되는 것입니다. 잘 생각해 능숙하게 대처하십시오.

2 담당환자 결정

임상실습 지도자와 교수가 검사를 거듭하여 많은 입원환자 중에서 당신이 담당할 환자를 배정합니다.

'좀 마음이 내키지 않지만 학생을 위해서'라고 승낙해 주신 분, '나라도 도움이 된다면, 기꺼이!'라고는 하셨지만 불안해하시는 분, 담당환자의 기분도 여러 가지입니다. 실습에서 관계가 더욱 친밀해지면, 그때의 기분을 말씀해 주실지도 모릅니다.

담당환자, 어떤 사람일까.
사전학습이란 무엇을 하면 되지?

환자와의 만남은 이미 시작되고 있다!

학교나 실습에 따라서 다르지만 실습 시작 3일 전~전 날에 담당환자가 결정되는 경우가 많은 것 같습니다.

아직 보지 못한 환자를 조금이라도 이해하기 위해서 몇 가지 기본적인 사전학습을 해 둡니다.

또 실습 첫날에 담당환자가 결정하는 경우, 그 과에 해당하는 환자 등을 복습해 둡니다(순환기과라면 심근경색, 협심증, 심장판막증 등).

그럼 일반내과나 일반외과의 경우는 어떻게 하면 될까요? 문제없어요! 할 수 있는 일이 있습니다. 어떤 환자든 담당할 수 있도록, 흔히 하는 기술을 연습해 둡니다.

흔히 하는 기술 청소, 세발, 회음부 간호, 족욕, 손톱깎기, 면도, 흡인, 휠체어 이송 등

Step 1 '모르는 것'

환자성명	연령	성별	병명(진료과)	정보	기타
○○○	72	여성	1 COPD · 폐렴 2 (호흡기내과)	○월×일 입원 치료 ; 링거, 내복, 흡입 3 4 ADL ; 일부 보조	(2010년부터 HOT 도입) 5

1 병명(질환명, 질병명)

① 질환의 이해

입원 중인 환자에게는 병도 자신의 일부입니다. 환자를 좀 더 이해하기 위해서라도 우선 질환을 충분히 이해해 둡니다.

그 질환이 환자의 생활에 어떤 영향을 미치고 있는지, 환자는 병과 어떻게 마주해야 하는지 등에 접근하는 것이 도움이 됩니다.

② 치료방법이나 검사

상세한 지식은 실습이 시작되고 나서 충분합니다. 그러나 일반적인 치료법이나 검사를 대략 훑어두면, 환자가 받고 있는 치료가 순조롭습니다.

③ 예후

그 질환이 발생하면, 어떤 과정을 거쳐서 회복 또는 만성화하는가 등, 질환의 전체상을 흐름으로 파악해 두는 것이 중요합니다. 앞으로 만날 담당환자가 지금 어느 단계에 있는지, 앞으로 어떻게 될 것인지 파악하는 데 도움이 되기 때문입니다.

④ 간호제공

관찰 시점이나 일상생활을 하는 데에 있어서 유의점 등 그 질환을 가진 환자의 일반적인 간호에 관해서 조사해 둡니다.

2 진료과란 무엇인가?

진료의 전문분야구분을 진료과라고 하며, 명칭은 의료법에 따라서 규정되어 있습니다(그림 2). 진료과의 표시법은 환자가 자신의 증상에 근거하여 의료기관을 선택할 수 있도록, 정기적으로 재검토되고 있습니다.

담당환자가 입원하고 있는 진료과를 앎으로써, 주요질환과 치료를 연결할 수 있습니다.

1 내과 : 주로 수술 이외의 치료를 한다

2 외과 : 주로 수술에 의한 치료를 한다

3 내과 및 외과의 조합

4 단독 명칭인 과(알레르기과, 재활치료과 등)와의 조합

조합	예	기본진료	진료과의 예
인체 부위 기관 장기 조직 기능	흉부 · 복부 호흡기 · 소화기 심장 · 신장 신경 · 혈액 내분비 · 대사	외과 + 내과	흉부외과 호흡기내과 신장내과 혈액내과 내분비외과
질병 병태	감염증 · 종양 당뇨병 · 알레르기		종양외과 알레르기내과
환자의 특성	여성 · 남성 소아 · 고령자		산부인과 소아외과
의학적 처치	인공투석 내시경		인공신장실 내시경외과

※내과, 외과에서 특화한 것이다. 예) 심료내과, 정형외과 등

그림 2 진료과목의 표시법

3 흡입이란 어떤 치료일까?

병명을 검사하면 치료법이 보이게 됩니다. 그러나 그것만으로는 아직 만족할 수 없습니다. 예를 들면 '흡입의 구체적인 간호방법과 관찰포인트' 등을 사전조사 해두면, 실습에서 반드시 도움이 됩니다.

4 ADL, 일부 보조란 무엇인가?

일상생활동작(Activities of Daily Living), 즉 평소생활에 필요한 동작(식사, 옷 갈아입기, 바른 자세, 배설, 목욕 등의 동작)이나 쇼핑 · 가사 · 돈이나 약 관리 등의 자립적인 생활을 하기 위해서 필요한 활동을 포함하는 IADL (Instrumental ADL; 수단적 일상생활동작)이 있습니다. 병명이나 치료방법의 약어와 마찬가지로, 간호의 약어표현도 조금씩 암기해 두면 좋습니다. 단, 환자와 대화할 때는 의미가 통하도록 약어표현을 삼갑니다.

일부 보조란 환자의 활동의 일부에 힘을 빌려서 보조하는 것입니다. 전부 보조하면 '전부 보조', 동작을 지켜보거나 유도하는 경우는 '지켜보기', 보조할 필요가 없는 분은 '자립' 등으로 표시합니다.

5 HOT는 병! 치료! 그렇지 않으면…?

의료의 장에서는 구두로의 보고나 대화는 물론 차트 등에도 병이나 치료에 관한 많은 약어가 사용됩니다. 일반적인 것은 의료인이 사용하는 약어사전에서 정식명칭을 조사하고, 그 다음에 그 용어의 의미를 차분히 검사합니다.

참고로 HOT는 'Home Oxygen Therapy; 재택산소요법'의 약어로, 폐의 병변 등에 따라서 신체에 산소를 충분히 흡입할 수 없는 환자가 자택에서 지속적으로 산소흡입을 하는 치료법입니다.

Step 2 '아는 것'

환자성명	연령	성별	병명(진료과)	정보	기타
○○○	1 72	2 여성	COPD · 3 폐렴 4 (호흡기내과)	○월×일 입원 치료; 5 링거, 6 내복, 흡입 ADL ; 일부 보조	(2010년부터 HOT 도입)

1 연령에 따른 환자의 이해

인간은 태어나서 죽을 때까지 성장 · 발달을 계속하는 존재입니다. 신체적인 것과 함께 정신적 · 사회적으로도, 각 연대에 맞는 발달단계나 발달과제가 있습니다.

프로이트, 피아제, 에릭슨 등의 발달이론을 복습하고 담당환자가 어느 단계에 있는지 파악해 둡니다. 실습시작 후에 환자와 관련된 것 중에 알게 된, 성장 · 발달에 관한 개별적인 정보의 이해를 도와줍니다.

2 성별에 따른 환자의 이해

성별분업이라는 용어를 알고 있습니까? 성별에 따라서, 역할이나 노동에 차이가 있는 것을 가리킵니다. '남자는 직장, 여자는 가정', 현재는 이러한 의식이 희박해지고 있는 것 같습니다. 그러나 이러한 사고방식이 오랫동안 사회에 뿌리박혀 있는 것이 사실입니다.

예를 들어, 담당환자가 72세인 경우는 어떨까요? 자신의 역할에 관해서 생각할 때, '여성으로서'라는 의식이 어느 정도 강할까요? 그 이해를 깊게 하기 위해서, 성별분업이나 사회적인 성별(gender), work · life · balance 등의 사회과학분야의 이론에 관해서 복습해 둡니다.

3 4 인체의 구조와 기능에 따른 환자의 이해

많은 학생이 어려워 하는 인체의 구조와 기능 부분은 지식이 없다면 환자가 지금 어떤 상태인지, 그 몸에서 일어나고 있는 고통이나 통증, 어려움 등을 정확하게 파악할 수 없습니다.

인체는 모든 구조가 균형을 이루면서 기능하고 있습니다. 담당환자의 질환과 관련된 장기는 물론, 인체의 구조와 기능 전체를 깊게 이해하는 것도 중요합니다. 확실히 복습합니다.

5 6 치료방법에 따른 환자의 이해

수액이나 경구약 등 투약의 방법이나 약물의 작용기전을 확인해 두면, 담당환자가 받고 있는 치료에 대한 이해가 깊어질 뿐 아니라, 환자에 대한 설명이나 보조가 필요할 때에 도움이 됩니다. 약물요법을 받는 환자의 간호에 관해서 복습하고, 진료의 보조에 활용합니다.

지금 할 수 있는 일은 이런 것이 있습니다!

'이렇게 사소한 정보라면, 사전학습 같은 거 안해도 돼~!'라고 생각하지 않습니까? 어떻습니까? 할 수 있는 것은 여러 가지가 있습니다.

실습이 시작된 후에는 매일 눈 앞에 존재하는 환자에게 확실히 집중해야 합니다. 그러기 위해서 학교에서 배운 노트나 자료, 교과서를 다시 한 번 훑어보고, 만전의 준비를 해 둡니다.

3 자신의 시간 관리

실습기간은 긴 듯해도 짧습니다.

입원기간의 단축으로 환자가 순식간에 퇴원하게 됩니다. 매일 익숙하지 않은 경험의 연속에, 실습목표가 제대로 달성되어야 하며, '수면시간을 줄여서 근무해야 하나', '과연 기력과 체력을 마지막까지 유지할 수 있을까?'하는 걱정이 드는 것은 당연합니다.

실습을 건강하게 끝까지 마치는 포인트는 '정해진 시간을 관리하는 것'입니다. 하루의 임상실습의 흐름과 실습기간 전체의 스케줄을 파악하여 스케줄을 세워서, '오늘도 자기는 틀렸네~!'라는 사태는 피하도록 합니다.

실습 중이라고 계속 환자와 함께 지내야 하나?
기록이나 정보정리는 언제 하나?

불가능한 시간 관리?

시간을 관리하는 것은 간호사의 일뿐 아니라 사회인으로서도 필요한 능력입니다. 간호사 이외의 직업에서도, '좀 더 시간이 있었으면 좋겠다!', '시간이 부족하다!'는 상황이 일어납니다.

누구에게나 동일하게 24시간의 하루가 주어집니다. 정해진 시간을 유용하게 활용할 수 있는 사람이 인생을 즐길 수 있습니다.
처음부터 완벽하기는 어렵습니다. 조금씩 연습하여 익숙해지도록 합니다.

임상에서의 하루 일과

임상실습이 시작되면, 생활패턴이 크게 변화됩니다. 시설이나 실습 스케줄에 따라서 실습시작 시간이나 종료시간 등이 달라지는데, 대략적인 하루의 일과를 살펴보겠습니다(표 4).

표 4 임상실습의 하루 일과

시간의 기준	환자의 하루	간호사의 작업	학생의 하루
6:00~7:00	기상 체온측정	**체온측정, 채혈** **모닝케어**	아침식사를 제대로 먹고, 시간에 여유를 가지며, 실습지로 향한다. 실습지에 도착
8:00	아침식사	**배식, 식사보조** **투약(경구약)**	실습복으로 갈아입는다. 병동으로 향하며, 우선 정보수집
8:30~9:00		**전달사항** **컨퍼런스**	전달사항에 참가한다. 보고 오늘 하루의 행동계획을 발표
10:00	체온측정 검사 · 치료 등	**투약(수액)** **검사보조** **간호제공** **기록**	환경정비나 모닝케어 간호제공 ★스스로 평가하여, 계획을 세우고, 실시 · 평가한다.
11:30~		※교대로 점심	보고 간호사에게 오전 중의 보고
12:00	점식식사	**식사배부, 식사보조** **투약(경구약)**	점심과 휴식 ★환자의 식사보조를 배려하여, 스스로 타이밍을 결정하기도 한다
14:00	검사 · 치료 등	**투약(수액)** **검사보조** **간호제공**	간호제공 ★스스로 평가하여, 계획을 세우고, 실시 · 평가한다 보고 하루의 업무를 보고하고, 다음날의 간호계획을 상담한다
16:00		**인계** **기록**	컨퍼런스 ★매일 실시하지 않는 학교도 있다. 주제는 실습그룹에 따라서 다양하다.

시간의 기준	환자의 하루	간호사의 작업	학생의 하루
18:00	저녁식사	식사배부 · 식사보조 투약(경구약)	자기학습(학교나 자택에서도) ★오늘 부족했던 지식이나 기술, 내일 실습에서 필요한 지식이나 기술을 학습. 도서관에서 필요한 책을 빌리거나 일찍 돌아간다.
↓	치료 · 면회 등		귀가 식사 · 목욕 · 여가 ★친구나 가족과 얘기하는 것도 비밀유지의무를 확실히 지키며!
21:00	소등	이브닝케어 투약(경구약)	자기학습 · 하루의 일과를 평가 ★자기 전에 잠시 자신의 하루를 평가해 보면, 같은 실패가 줄어든다. 취침 ★실습 중의 밤샘은 금물!
0:00	수면 중	병동라운딩 · 기록	수면 중
3:00		병동라운딩 · 기록	

실습기간 중의 공부 & 휴식의 균형

매일 8시간 가깝게 병동에 있으며, 학교나 집으로 돌아가서도 복습과 예습이 필수입니다. 공부시간을 검토하여, 휴식시간을 잘 이용하도록 합니다.

자기학습의 요령

① 시작하기 전에 목표를 세운다

전날에 내일 행동계획을 세우고, 어떤 지식이나 기술의 예습이 필요한지 확인합니다. 그리고 바로 필요한 것부터 주말에 할 것까지 순위를 정합니다. 우선순위가 높은 것부터 검토해 갑니다.

② 포상의 시간을 갖는다

목표를 달성하면 자신을 기쁘게 하는 것도 다음 동기부여로 연결됩니다. 친구들과 얘기하기, TV보기, 간식 먹기… 포상도 여러 가지가 있습니다.

③ 친구들과 함께 공부하는 것의 장 · 단점

같은 질환인 환자를 담당하는 친구들과 함께 공부하면, 효율적인 정보교환을 할 수 있습니다. 또 공부를 잘하는 친구들과 함께 공부하면 요령을 배울 수 있습니다. 자기학습의 능력은 모두 국가시험 공부에서도 필요합니다. 여기에서 확실히 몸에 익혀둡니다!

한편 '마음은 맞지만, 놀기만 하는' 친구와의 공부는 수다에 빠져서 진도도 나가지 못하여 성과가 오르지 않습니다. 서로 '자신이 친구의 공부를 방해하는 게 아닐까?' 체크해 보십시오. 50분 공부하고 10분 휴식 등의 규칙을 정하고, 잡담금지인 도서관에서 공부하는 방법도 검토해 봅니다.

팀플레이로 해프닝을 극복하자!

아무리 스케줄을 파악하고 관리한다 해도, 임상에서는 갑작스런 해프닝이 흔히 발생합니다.

드문 케이스이지만, 2주 간의 실습 중에 담당환자가 3번 바뀐 적도 있습니다. 그럴 때는 평상시대로 해서는 해결이 안됩니다! 교수님과 간호사, 학생 3명이 날마다 스케줄을 다시 세워서, 남겨진 실습시간을 유효하게 사용하며 극복합니다.

실습멤버인 학생끼리의 협조도 중요합니다. 시간이 부족하다고 초조해 하는 멤버가 있다면, 평가나 간호계획을 조언해 주는 등 가능한 범위에서 서로 도와줍니다.

OR·ICU

OR이란 Operation Room의 약어로, 수술실을 가리킵니다. 수술(OP)은 외과적, 침습적인 수술이며, OR에는 안전하게 수술을 하기 위한 인원과 설비가 배치되어 있습니다.

담당환자가 수술을 하게 되면, 매우 중요한 기회이므로 견학을 하면 좋겠지요. OR에는 의사에게 메스 등의 수술기구를 전달하는 '직접보조'하는 소독간호사와, 환자의 상태를 파악하면서 수술 전체를 둘러보며, 수술이 원활하게 진행되도록 조정하는 '간접보조'의 순환간호사가 있습니다. 실습에서는 주로 간접보조 간호사의 뒤에 붙어서, 수술을 견학하게 됩니다.

수술 후에 환자가 ICU (Intensive Care Unit: 집중치료실)에 입실하기도 합니다. ICU는 주로 큰 수술 후나 생명과 관련된 중증질환 환자가 고도의 의료를 집중적으로 받는 장소입니다. 수많은 링거줄이나 방광유치도뇨관은 물론, 인공호흡기, 창부의 drainage, 때로는 체외순환장치 등이 환자의 몸에 부착되어 있어서, 회복을 위한 치료나 생명유지가 이루어지고 있습니다. 혈압, 맥박, 호흡 등의 활력징후는 모니터로 관리되고 있으며, 시시각각 변화하는 병태를 24시간 지켜보고 있습니다. ICU의 실습에서는 간호를 견학하거나, 일부 간호를 제공하기도 합니다.

OR, ICU 모두 다른 의료인의 동선을 확인하여, 가능한 방해가 되지 않는 곳에서 견학합니다. 또 생명과 직결되는 긴장감이 높은 장소라는 점에 추가하여, 견학 중에 혈액이나 장기 등을 보고 기분이 나빠질 수도 있습니다. 몸의 상태가 안 좋을 때에는 신속히 간호사에게 알리고, 그 자리를 떠나서 잠시 쉬었다가, 병동으로 돌아와서 교수님께 알리는 등 스스로 대처하도록 합니다. 이때는 반드시 '바깥 의자에서 잠시 쉬겠습니다', '일단 병동으로 돌아가겠습니다' 등 자신이 있는 장소를 그 자리에 있는 간호사에 알리도록 합니다.

Ⅱ 지도자와의 관계

1 간호사에게 보고 · 연락 · 상담을 활용

'간호사에게 보고하는 것이 큰일!', 이미 실습에 다녀 온 선배로부터 흔히 듣게 되는 소리입니다. 간호사가 무섭다, 엄격하다, 말을 걸기가 어렵다…. 하지만 지도에 임하는 간호사도 학생에게 좋은 실습을 하고, 임상에서 많은 체험을 하기를 바라고 있습니다.

임상실습에서는 환자와만 인간관계를 쌓으면 되는 것이 아닙니다. 임상실습 지도자, 간호사, 의사, 다른 보조직원과도 좋은 관계를 쌓을 수 있으면, 실습이 훨씬 편해집니다. 실습은 팀의료를 체험하는 기회입니다. 그래서 필요한 것이 보고 · 연락 · 상담의 자세입니다.

간호사에게 말을 거는 타이밍을 모르겠다.
겨우 말을 걸어도 '그 근거는?' 하는 한 마디에 머리가 새하얘진다.
보고시간이 무섭다….

예전에는 모두 학생이었다!

'한 사람의 환자를 쭉 담당하는 것이 매우 분에 넘치는 것이었구나', 간호사로부터 흔히 듣게 되는 말입니다. 임상에서 열심히 일하다 보면, '학생 때는 환자 옆에 더 있을 수 있었어. 지금은 할 수 없을 것 같아'라고, 자신의 간호를 되돌아보게 됩니다.

교육간호사도 실습 중인 학생의 자세에 자극을 받을 수 있습니다. 실패를 두려워하지 말고 대화를 거듭하며, 교육간호사의 간호관을 듣게 되면, 교과서에는 없는 소중한 것을 배우게 될 수도 있습니다.

전달하는 보고

보고는 '올바른 정보를', '한정된 시간 내에', '초점을 맞추어' 전달하는 것이 요구됩니다. 무엇을 위한 보고인지 목적을 이해하고 약간의 요령을 익히면 쉽게 전달하게 됩니다.

보고의 구조를 파악하자

① 시간확보

상대에게 보고를 받을 시간이 있는지, 없으면 몇 시가 좋은지를 확인합니다.

예 '오전 중에 보고를 하려고 하는데 시간 괜찮으십니까? 지금 괜찮으십니까?'

② 예고

지금부터 보고하는 것의 대략적인 내용을 전달합니다.

예 '오전 중에는 환경정비와 의사소통을 하면서 족욕을 했습니다. 그 점에 관해서 보고하겠습니다'

③ 본제

실시한 것을 바르고 간결하게 전달합니다(표 1). 듣는 간호사가 바쁜 것을 온몸으로 나타내고 있는 경우도 흔히 있지만, 당황하지 말고 필요한 내용을 책임감을 가지고 전달해야 합니다.

④ 질의응답

실천해 보고 어려운 점이나 불분명한 점이 있는 경우는 간호사에게 질문합니다. 단, 책으로 조사하면 알 수 있는 것은 스스로 학습하고 그래도 모를 때 질문합니다.

질문을 받는 경우도 있습니다. 당황하지 말고, 질문의 의미를 이해할 수 없을 때는 다시 한 번 확인해 성의있게 대답합니다. 모를 때는 '모르겠습니다'라고 끝내지 말고, 다음날까지 조사할 것을 전달합니다. 지속적으로 학습하는 자세를 보인다면 간호사도 성심성의껏 교육을 제공할 것입니다.

⑤ 상담

담당환자의 이해나 간호의 방향성 등 갈피잡기 어려운 것을 간호사에게 상담합니다.

이때도 일반적으로 의견을 듣는 것이 아니라, '자신은 이와 같이 생각하고 있다'라는 시점을 가지고 임합니다. 환자의 일을 진지하게 생각하는 것이 간호사에게 전달되면, 정보수집이 불충분해도 평가가 미숙해도 반드시 힌트를 줄 것입니다.

상담은 서로 마음의 여유와 시간이 필요합니다. 그 날의 마지막 보고 시 앉아서 얘기할 수 있는 시간에 상담을 부탁합니다.

표 1 보고의 포인트

내용	보고내용의 예
1. 결론부터 얘기한다. • 간호를 실시할 수 있었는가? 잘 했는가? 등 • 활력징후 등은 우선 수치나 주관적/객관적 자료를 보고한다.	A씨의 10시 V/S은 열 36.4℃로 정상이며, 맥박은 72회/분, 혈압도 124/76 mmHg로 안정되어 있어서 족욕을 실시했습니다. **결론**
2. 방법의 설명 • 5W1H로 실시상황을 설명 what 무엇 why 왜 who 누가(누구와) when 언제 where 어디서 how 어떻게	A씨의 족욕의 목적은 위생과 안정을 통해서 의사소통을 도모하는 것이었습니다. **what** · **why** 제가 주로 간호했습니다만, 지도교수님의 도움을 받고, 10:30~11:00 약 30분간, 침대위에서 앙와위로 곡반을 사용하여 했습니다. **who** · **when** · **where** · **how**
3. 실시 효과와 그 이유의 설명 • 간호제공으로 얻은 결과(거의 없는 경우나 부정적인 경우도 있음) • 수치가 변동한 경우의 근거, 환자의 행동이나 언동의 이유 등 평가내용을 얘기한다.	A씨의 발에서 많은 때가 보이고, 실시 후에는 악취도 없어져서, '개운하다, 깨끗해져서 기분이 좋다'라는 말과 웃는 얼굴을 볼 수 있었습니다. 10분 정도 발을 따뜻하게 하고 있을 때에, '빨리 집에 돌아가고 싶다. 하지만 병을 확실히 치료하고 싶다'고 했습니다. **효과** 뜨거운 물에 담가 각질이 부드러워져서, 때가 잘 떨어지고, 발이 깨끗해졌습니다. 기분이 좋아져서, 조금 안정되고, 병에 관해서 얘기할 수 있게 된 것 같습니다. **이유**
4. 평가와 앞으로의 전개 • 목적은 이루었는지 평가한다. • 이루지 못한 경우는 그 이유도 포함하여 얘기한다. • 예측되는 점(좋은 점이나 나쁜 점)이나 앞으로의 계획이 있으면 보고한다.	종료 후의 혈압도 안정되어 있고, 안전 · 편안하게 A씨의 족욕을 실시하여, 효과를 얻을 수 있었습니다. **평가** 한 번의 족욕으로는 각질을 다 제거하지 못하여, 계속해서 간호를 제공하려고 합니다. **계획** 또 뜨거운 물에 발을 담금으로써 조금 피곤해 하는 모습이어서, A씨의 체력에 맞는 족욕을 검토해야겠다고 생각했습니다. **예측**

▶ 전달하는 보고의 요령

① 얘기하는 법을 재검토하자

• 어미를 흐리지 않는다

좋지 않은 예 '조사했는데…', '그렇게 생각했는데…'

• 어미를 끌지 않는다

좋지 않은 예 '그렇긴 하지마는', '하지마는'

• 애매한 표현을 삼간다

좋지 않은 예 '아마', '~한 것 같다', '너무~', '잔뜩' 등

• 알기 쉬운 말을 사용한다

유행어나 젊은 층의 말 등 특수한 문화권에서만 사용되는 표현은 삼갑니다.

② 사실과 자신의 추측 · 생각 등을 구별한다

예를 들면, 'A씨가 점심 후 약을 먹지 않았다'는 사실과, '어제와 마찬가지로 깜빡 잊어 버렸나'라는 추측은 나누어 전달해야 합니다.

③ 전달법은 "환자중심"으로 한다

✕ **자기중심의 예** (내가) 청결의 평가를 하고, (내가) 족욕의 계획을 세워서 실시하려고 한다.

○ **환자중심의 예** (환자는) 행동제한으로 청결이 저해되어 있다는 평과결과에서, (환자는) 족욕이 필요하여 실시하려고 한다.

자기중심이 되어 버리면, 애당초 생각의 착안 · 발상이 잘못되어 버립니다. 무엇을 위해서 실습하러 온 것인지, 간호는 누구를 위해서 하는 것인지, 다시 한 번 생각해 봅니다.

④ 생각을 머리 속에서 정리해 둔다

보고에서 말로 하지 않아도 되므로 자신은 어떻게 생각하고, 무엇을 하려는지의 시점에서, 생각을 정리해 둡니다.

예를 들면, 담당환자가 수술이나 검사를 받는 경우는 '견학하고 싶다'고 생각하지요. 그것을 '~하고 싶다' 고 머물지 말고, 왜 그것을 하고 싶은지? 생각을 정리하여 머리에 생각해 둡니다. 자 '견학하겠습니까?'라

고 질문을 받았을 때, '네! 수술 전 · 중 · 후로 연속해서 보게 된다면 주 수술기 환자의 이해가 깊어지리라 생각합니다. 부탁드리겠습니다'라고 할 수 있겠지요.

⑤ 하나 하나의 행동이 아니라, 전체적으로 파악하는 시야를 가진다

오늘 배운 하나 하나의 행동을 일련의 간호로서 파악하고, 내일의 간호로 연결합니다(그림 1).

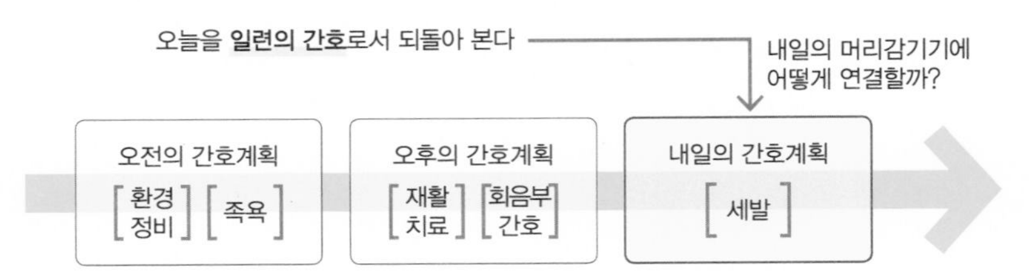

그림 1 전체를 파악하고, 다음으로 연결한다.

⑥ '간호사님'이 아니라 이름으로 부른다

그 날 담당간호사의 이름을 기억하고, 보고나 상담할 때에 'ㅇㅇ선생님'이라고 부르는 것도 중요합니다. 간호사로부터 '학생'이 아니라 'ㅇㅇ 학생선생님'이라고 불리면, 자신이 자신으로서 인정받는 느낌이 들지 않나요? 이름을 부를 때는 상대방에게 있어서 자신이 중요하며, 하나의 인격으로서 인정받는다는 표시입니다. 인간관계는 우선 서로를 인정하는 것에서 시작됩니다. '간호사님'이 아니라, 이름으로 부릅니다.

보고의 기술 향상

간호사에게 하는 보고는 최소한 실습시작 시와 종료 시까지 1일 2회 합니다. '무엇을 위해서 보고하는가?'하는 보고의 '목적'을 이해하고, 간호사와 의사소통합니다.

아침 보고 : 하루의 행동계획의 발표

지도교수 또는 간호사에게 하루의 행동계획을 발표합니다. 자신이 오늘 학습을 어떻게 진행하려고 하는지, 실습계획을 간호사에게 전달합니다.

담당환자의 결정 후에는 매일 아침 조금 일찍 병동으로 가서, 환자정보를 갱신합니다. 단시간에 효율적으로 정보수집을 위한 포인트를 확인해 둡니다.

- □ **어제 밤 환자의 면회자 정보나 가족에 대한 설명내용 등이 기록되어 있는가?**
- □ **어제 밤의 수면상황은 어떤가?**
- □ **오늘 아침까지 환자에게 변화는 없는가?**
- □ **활력징후의 변화는 어떤가?** [한 가지 수치에만 주목하지 말고, 저녁→야간→아침→그 다음날로, 흐름으로 파악하면 이해하기 쉽다]
- □ **간호기록에 기재된 주관적/객관적 자료를 참고하여, 환자의 기분에 변화 등이 없는가?**
- □ **오늘 아침까지의 배설상황과 전날의 저녁식사와 오늘아침의 식사량은 어떤가?**
- □ **야간에 응급 혈액검사 등을 실시한 경우, 왜 긴급히 검사를 실시했는가?** [이유도 포함하여 정보에 추가한다]
- □ **오늘의 검사나 치료 등의 예정이 변경되지 않았는가? 또 그 이유는 무엇인가?**

환자의 심신의 상태는 시시각각 변합니다. 전날에 계획한 간호를 제공하지 못하는 경우도 흔히 있습니다. 최신정보에 근거하여 목표나 간호계획을 재검토하고, 오늘 환자의 컨디션에 맞는 간호를 제공할 수 있도록 힘씁니다.

▶ 낮의 보고 : 오전 중의 실습내용에 관하여

하루종일 환자를 계속 간호하므로, 오전 중의 환자와의 관계를 정리한 짧은 보고가 요구됩니다. 실습방법에 따라서는 낮의 보고를 하지 않는 경우도 있지만, 낮의 보고에서는 어려운 점이 몇 가지 있습니다.

① 보고하는 상대(간호사)를 찾을 수가 없다!

오늘 아침의 행동계획발표에서 약속했는데 보고를 받을 간호사를 찾을 수가 없다. 낮에는 흔히 있을 수 있는 광경입니다.

끊임없이 간호를 제공하기 위해서, 간호사는 낮의 휴식을 2번의 시간대로 나누어 교대로 쉬고 있습니다. 어느 시간대에 어느 간호사가 쉬는지에 대해, 아침부터 결정하는 경우가 거의 없어서, 11시경 그 날의 리더가 병동의 상황에 맞추어 결정합니다. 항상 변화하는 임상의 상황을, 간호사의 활동으로 조정하여 변동을 최소화 하기 위해서입니다.

이 시간대에 원활하게 보고하려면, 아침 보고 시에 "낮의 보고는 11시 30분경에 할 예정입니다. 점심시간과 겹칠 때는 말씀해 주십시오"라고 미리 알려드립니다. 그래도 간호사가 깜빡 잊고 휴식에 들어가 버리면, 교수님과 상담하여 점식식사 후로 예정을 변경합니다.

② 오전의 간호를 근거로 한 보고 · 상담을 한다

오전 중에 얻은 정보나 생각한 것 중에서, 오후의 간호와 관련된 내용 등을 보고 · 상담합니다.

예 '오전 중의 V/S은 열 36.3℃, 맥박 70회/분, 혈압 126/72 mmHg, 기분이 불쾌하다는 등의 호소도 없었습니다' **보고**

'내일 실시할 예정이었던 세발 간호에 관해서, 환자가 "면회를 오니까, 오늘 오후에 머리를 감았으면 좋겠어요"라고 했습니다. 조정이 가능할까요?' **보고** **상담**

'오후에는 의사소통을 하면서, 예정되어 있던 족욕을 실시하려고 합니다. 단 환자가 권태감을 호소하고 있어서, 체위를 좌위에서 앙와위로 변경하겠습니다' **보고** **상담**

③ 낮까지 기다릴 수 없는 보고도 있다

- 9:30에 환자가 오한을 호소했으며, 열이 37.2℃였다.
- 10:30경 환자가 '머리가 아프다'고 해서, 혈압을 측정했더니 158/86 mmHg로 평상치보다 높았다.
- '오늘 입욕 후에 교환할 습포가 없어졌다'고 하셨다.

이와 같은 경우는 점심까지 기다리지 말고, 그때 그때 간호사에게 보고합니다.

▶ 종료 시의 보고 : 하루의 정리와 '앞으로'의 계획

아침의 행동계획의 발표부터 종료까지의 보고를 통해서, 자신이 실시한 오늘 하루의 간호를 평가합니다. 또 실습시작일부터 금일까지의 간호를 재평가하는, 중요한 상담시간이기도 합니다. 원활하게 진행하는 것만 생각하지 말고, 일선에서 근무하는 간호사와 의사소통을 하는 최대의 기회의 장이라고 파악하고 임합니다.

① 목적은 자신이 실시한 간호의 평가

임상에서는 하루에 많은 귀중한 체험을 하는데, 기억에 그대로 남아 있지 않고, 스르륵 잊혀져 갑니다. 오늘 위에 내일이 쌓이듯이, 자신이 밟아 온 흔적을 하나씩 평가합니다.

평가란 무엇일까요? '족욕이 어려웠다'거나 '정말 깨끗하게 잘 씻겼다'라는 것은 '감상'이지 '평가'가 아닙니다. 왜냐하면 자신이 한 것의 좋고 나쁨을 평가하고 있지 않기 때문입니다.

② 우선 전체적으로 평가한다!

아침의 계획발표부터 지금까지, 오늘 하루동안 자신이 실시한 간호와 그 평가를 정중하게 보고합니다.

여기에서는 객관적인 관찰데이터에 근거하는 평가 등의 보고가 주가 됩니다. '~라고 생각했다', '아마~' 등의 애매한 표현은 사용하지 말고, 환자의 말(주관적 자료)이나 관찰결과(객관적 자료)를 바탕으로, '~라고 생각합니다'라고 평가까지 설명합니다.

당황하지 않고, 익숙해질 때까지 '보고의 구조' →p.33를 참고로 해서, 포인트를 메모해두면 원만하게 할 수 있습니다.

또 계획했던 것이 중지된 경우는, 그 이유를 명확히 보고합니다. 자신의 사전조사가 불충분하여 중지된 경우도 현실로부터 외면하지 말고, '왜 불충분했는지?'를 밝혀서 앞으로의 대책도 첨부하여 보고합니다.

③ 간호팀의 일원으로서 보고를

학생은 오랜 시간동안 한 명의 환자와 함께 지냅니다. 환자가 말하는 내용에 간호사도 모르는 일면이 나타나는 경우도 적지 않습니다. 그 날의 간호와 직접 관계가 없는 일이라도, '이 정보는 기록에서 본 적이 없는데'라고 느끼면 보고합니다. 간호사와 정보를 공유하는 것은 환자를 좀 더 잘 간호하는 데 도움이 됩니다.

또 실습의 중반부터 후기가 되면, 위생 · 식사 · 배설 · 의사소통 등의 여러 가지 측면에서 평가를 정리하여, '이 환자에게 필요한 간호는 무엇일까?'라고 간호의 방향성을 찾을 필요가 있습니다. 언제까지나 '환자의 청결이 유지된다'라는 간호목표만으로는, 간호의 레벨업이 이루어지지 않습니다. 병의 진행이나 증상, 환자를 둘러싼 환경 등에 따라서 간호사도 간호의 방향성을 고민하는 경우가 많아집니다. 주저하지 말고 현역 간호사의 의견을 들어봅니다.

간호사와 토론할 수 있도록 하자!

간호의 방향성을 잃으면, 간호의 전문성에 의견을 구하는 것도 문제해결 방법의 하나입니다. 그러나 자신은 아무 것도 생각하지 않고 상대의 아이디어만 배우려 하는 것은 언어도단입니다. 간호사나 교수님은 학생이 생각한 시간이 10분인지, 아니면 1시간인지, 금방 알 수 있습니다.

학생이라도 담당환자를 간호하는 사람으로서 책임감을 가지고, 수집한 데이터를 바탕으로 차분히 생각합니다. 그렇게 하다 보면, 간호사와 의미있는 토론을 할 수 있게 될 것입니다.

간호보조기술

1 의사소통

의사소통도
간호기술입니까?

대답은 YES입니다. 왜냐하면 간호사가 제공하는 케어는 단지 일방적으로 청결하게 닦아주거나, 체온을 재는 것이 아니라, 환자의 상태나 언행에 따라서 케어의 방법을 바꾸거나, 필요한 케어를 중복하는 상호작용 위에 성립하는 것이기 때문입니다. 간호사는 언어적 또는 비언어적 의사소통을 구사하고, 상대에게 필요한 간호를 찾아서 제공하는 지지적인 인간관계를 구축해 갑니다.

또 간호사의 의사소통 대상은 환자와 그 가족뿐 아니라 간호사, 의사, 물리치료사, 영양사, 약제사, 의료사무 등 메디컬스텝 전반적으로 여러 갈래에 걸쳐 있습니다. 팀의료의 실천에 있어서 간호사는 타직종을 '연결'하는 역할을 담당하는 경우가 많으며, 그 때문에 인간관계를 구축하는 높은 의사소통능력이 필요합니다. 그렇게 파악하면, 학생 때부터 의사소통능력을 높이는 것이 중요합니다.

대인거리 interpersonal distance

의사소통의 중요한 요소에 상대와의 거리 측정법이 있습니다. 신체의 접근이라는 물리적인 거리뿐 아니라, 마음의 거리를 의식한 적이 있습니까?

'다른 사람과 어느 정도 마음을 열고 대하는가?'는 입장이나 상황, 관계성 등에 따라서 다르지만, 개인의 특성도 크게 영향을 미칩니다. '상대의 마음을 열기 위해서는 우선 자신부터!'라는 것은 좋은 마음가짐이지만, 자신의 생각이나 감정, 개인적인 경험이나 정보를 얘기하는 것이 마음을 여는 것이라고는 할 수 없습니다. 자신의 마음을 여는 데는 타이밍이나 템포, 내용의 깊이 등이 서로 적당하지 않으면, 결국은 일방통행이 되어 버립니다.

첫 대면인 환자에게 갑자기 자신의 가족 얘기를 자세히 꺼낸다면, 상대는 어떻게 느낄까요? 만일 환자가 매우 친한 관계인 사람에게만 가족 얘기를 하는 분이었다면 갑자기 깊이 파고드는 듯한 불쾌한 기분이 될 수도 있습니다.

환자와의 거리를 서둘러 좁히려고 하면 자신을 속속들이 드러냄으로써 오히려 기분이 엇갈리는 경우도 있습니다. 우선 상대의 말이나 기분을 솔직히 받아들이고 상대의 관심이 자신에게 향해 오는 것을 느끼면, 가능한 범위에서 경험이나 기분 등을 전달하십시오.

동정과 공감의 차이

'동정'과 '공감'의 차이는 입장이 역전되어 있는 것입니다. '동정'이 자신의 입장에서 상대의 기분이나 감정을 헤아려서 감정이입하는 것인데 반해서, '공감'은 듣는 사람이 상대의 입장에서 얘기를 듣고, 상대의 기분이나 감정을 이해하려고 노력하는 것입니다.

실은 공감한다는 것이 그렇게 간단하지가 않습니다.

[공감적 이해의 룰]

① 자신과 환자는 다른 경험이나 가치관을 가진 다른 사람이라는 점을 잊지 않는다.

② 자신의 지금까지의 경험, 감정, 선입관으로 환자를 이해하려고 하지 않는다.

③ 자신의 이해와 환자가 느끼고 있는 것이 엇갈리지 않는지 확인한다.

예 '가족이 한 번도 면회를 오지 않아… 환자가 외로워하고 있어서 불쌍해. 도움이 필요해'

☞ 가족관계는 지금까지의 인생경험이나 그것에 의해서 키워진 가치관이 크게 반영되므로, 일률적으로 "외롭다"고 해도 될지 모르겠습니다. 그러면 "불쌍하다"라는 감정은 환자에 대한 공감이라고 할 수 있을까요? 억측일 수도 있습니다.

예 환자가 '"항암제 치료는 2번째니까 괜찮아요"라고 했다. 스케줄도 부작용도 알고 있어서, 이번에는 기분도 편안할 것이다'

☞ 무엇에 관해서 '괜찮다'고 하는 것인지 모르겠습니다. 환자는 자기 자신을 안심시키거나 격려하는 의미로 "괜찮다"고 말하는 것일 수도 있습니다. 자신과는 다른 생각을 가지고 있는 것을 확인합니다.

인사 후, 무슨 얘기를 할지… 화제가 떠오르지 않는다!

☞ 누구에게나 문제없이 말을 꺼낼 수 있는 화제, 그것은 날씨 얘기입니다.

예 '오늘은 오후부터 비가 내릴 것 같은데, 우산을 가지고 오셨네요.'
'오늘 아침은 너무 추워서 김이 새하얗네요'

증상을 파악할 수 있게 된 경우는 '오늘 아침에 현기증은 어떠셨습니까? 최근 이틀간은 상태가 좋았던 것 같은데…', '어제 검사는 시간이 걸려서 힘드셨지요. 어디 건강상태가 나빠진 것은 아니지요?' 등으로 과거와 연결되는 화제로 그 날의 의사소통을 시작하면, 관계가 이어지는 것을 서로 확인할 수 있습니다.

환자에게 간호과정의 정보항목에 따라서 질문했더니, '취조하는 것 같아'라며 웃으셨다! 기분이 상하신 것일까?

☞ 웃고 있었다면, 환자는 솔직한 기분을 얘기한 것일 수도 있습니다. 하지만 환자와 간호사의 의사소통으로서 "취조"라니, 유감스런 코멘트입니다.

관계형성의 한 방법으로서, 취조와 같은 주고받음이 편하다고 느끼는 환자도 있습니다. 그러나 실습 마지막날까지 Q&A방식으로 할 수는 없습니다. 간호사는 듣고자 하는 정보를 머리에 입력해 두었다가, 대화 중에 관련된 화제가 나왔을 때에 자연스런 흐름으로 질문하여 정보를 모읍니다. 짧은 시일로는 흉내낼 수 없는 고도의 기술이지만, 의식적으로 반복하는 동안에 반드시 몸에 익을 것입니다. 연습만 있을 뿐!

잡담으로 분위기가 고조되는 것은 NG!

취미, 출신지, 좋아하는 음식, 어제 본 TV프로그램 등의 화제로 고조되면, '얘기는 활기를 띠지만, 잡담뿐이었습니다…'라고 학생이 실망하는 경우가 있습니다. 잡담으로 분위기가 고조되는 것에, 간호의 의의는 없는 것일까요?

위암말기인 A씨를 담당하고 있는 학생이, '금식 중인데 미식가 프로그램 얘기로 흥분했다'고 반성한 적이 있었습니다. 하지만 그 다음날, 실은 A씨는 맛집탐방이 취미로 '맛있는 것을 생각만 해도, 나는 기분이 행복해져요'라고 웃었다고 합니다.

사람은 제각기 독자적인 경험을 쌓으면서 일상생활을 합니다. 그러면서 길러진 "그 사람만의 독자적인 것을 파악하는 법"을 접하게 되면, 환자에 대한 이해가 깊어집니다. 잡담은 고유 경험의 보물창고입니다. 아무 것도 아닌 주제로 대화가 되는 경우도 흔히 있습니다. '이 대화는 정보가 되려나?'라고 생각하지 말고, 우선 눈앞에 환자와의 대화에 집중합니다. 사람을 이해하는 것에 쓸데없는 대화는 없습니다.

2 감염예방

손위생에 마스크 착용…
수업에서 확실히 배웠습니다!
감염예방 따위 간단하지요!

감염증이란 바이러스나 세균 등의 병원성 미생물이 체내에 침입함으로써 일으키게 되는 질환을 말합니다. 흔한 예로는 MRSA(메티실린내성황색포도구균), 인플루엔자, 노로바이러스 등이 있습니다.

임상실습에 필요한 주요 감염예방 대책에는, 예방접종 →p.14과, 의료관련감염(원내감염 포함) 대책이 있습니다.

자연과학이나 의학이 진보해도, 병원 내에서 일어나는 감염증의 문제가 사라지지 않습니다. 미생물은 육안으로 확인할 수 없고, 이 '보이지 않는 적'을 통제하기가 어렵기 때문입니다.

또 예방행동 자체는 단순해도, 바쁘고 번잡한 업무 속에서 모두가 확실히 실시하고 '보이지 않는 적'의 진입경로를 차단하기가 어려운 점도 감염증이 사라지지 않는 이유 중의 하나입니다.

감염증을 일으키지 않기 위해서는 한 사람 한 사람이 상상력이나 윤리관을 발휘하여 기본 원칙을 준수해야 합니다. '나 한 사람 정도 괜찮아'라는 안이한 생각이 감염발생의 기회를 만들어 내는 것입니다.

손위생

병원에는 면역기능이 저하되어, 감염위험이 높은 환자가 다수 입원해 있습니다.

감염증의 유무에 상관없이 혈액, 점막, 손상된 피부, 땀 이외의 모든 체액을 감염원으로 취급하는 예방책을 standard precaution(표준예방책)이라고 합니다.

그 기본이 되는 것이 손위생입니다. 눈에 보이는 오염이 붙어 있는 경우는 소독약 함유의 항균성 비누와 흐르는 물에 손씻기, 눈에 보이지 않는 오염에는 속건성 손소독제로 소독을 합니다.

실습 시에는 다음의 경우에 손위생을 실시합니다.

① 병동으로의 입 · 퇴출시

병동에 도착했을 때, 병동에서 돌아갈 때

② 병실로의 입 · 퇴실시

병실에 들어갈 때, 병실에서 나올 때

③ 케어나 처치의 전후

'1처치 → 2손씻기(손위생)'를 환자마다 실시

예 손위생 → 환자 A의 기저귀교환 → 손위생 → 차트 입력 → 손위생 → 환자 B의 흡인 → 손위생

장갑의 착용은 손위생을 대체할 수 없습니다. 장갑을 끼기 전과 벗은 후의 손위생을 잊지 말도록!

④ 귀교 시 또는 귀가 시

실습이 끝나고, 학교 또는 집으로 돌아가서 바로 병원성 미생물을 병원 내에 가지고 들어가거나 나가지 않음으로써 병원 내에 전파되지 않도록 철저히 감염경로를 차단합니다.

개인방호용품

손위생과 마찬가지로, 자신을 감염으로부터 지키기 위해서 사용하는 것이 개인방호용품(Personal Protective Equipment; PPE)입니다. PPE에는 장갑, 마스크, 보호용 앞치마, 가운, 고글 등이 있습니다.

- 입는 순서는 '입을 때는 장갑이 마지막, 벗을 때는 장갑이 처음'이 기본!
- 오염범위가 넓은 경우, 앞치마가 아니라 가운을 착용한다.
- 장갑, 앞치마, 가운은 오염된 표면이 안쪽이 되도록 뒤집어서 폐기한다.
- PPE를 장착한 경우에도 실시 후에는 반드시 손위생을 한다.
- 마스크는 양 귀의 고무끈을 잡고 벗어서, 그대로 폐기한다.

어느 간호술기에 어느 PPE가 필요한지를 확실히 확인해 둡니다(표 1). 아무 생각 없이, 간호사 흉내를 내어 착용하는 것은 곤란합니다. 방호가 충분하지 않으면 환자도 간호하는 측도 감염 위험에 노출됩니다. 반대로 지나쳐서는 쓸데 없는 비용이 듭니다.

표 1 개인방호용품(PPE)과 그 목적

PPE	목적
장갑	• 의료인의 손가락에서 환자로의 전파를 방지한다. • 오염원에서 의료인 · 환자 · 물품을 지킨다.
마스크	• 의료인의 비강 · 구강점막에서 환자로의 전파를 방지한다. • 호흡기감염의 확대를 방지한다(기침 에티켓 등). • 오염원이나 분진에서 의료인이나 환자의 비강 · 구강점막을 지킨다.
앞치마 가운	• 의료인의 신체에 부착된 혈액이나 체액, 배설물 등에 의한 오염에서 환자를 지킨다. • 혈액이나 체액, 배설물 등에 의한 오염에서 의료인을 지킨다. • 수술 등의 무균적인 처치를 실시하는 경우, 의료인에게 부착되어 있는 먼지나 병원체에서 환자나 물품을 지킨다.
고글 페이스쉴드	• 오염으로부터 의료인의 안점막(페이스쉴드는 눈 · 코 · 구강점막)을 지킨다. • 수술 등의 무균적 처치를 실시하는 경우, 의료인으로부터 흩날리는 병원체에서 환자나 물품을 지킨다.

3 식사간호

식사간호란?
환자의 입에 음식을 넣도록
도와주면 되나?

입으로 식사를 하든 경관영양으로 섭취하든, 매일 필요한 영양을 섭취하는 것은 생명을 유지하는 데 매우 중요합니다.

손을 씻고 자세를 정리하고, 식기를 바른 위치에 배열하는 등 '식사를 하기 전의 간호'도, 몸과 마음의 준비를 하는 데에 빠져서는 안 되는 것입니다.

맛있게 식사하기 위한 준비

① 손을 씻는다

손에 붙은 잡균을 떨어내기 위해 비누와 흐르는 물에 손을 씻습니다. 와상(bedridden)환자도 물수건으로 손의 더러움을 닦아내기보다는 세면대 앞까지 휠체어로 이동하거나, 세면기에 따뜻한 물을 받아서 손을 씻게 합니다. 닦아내는 것보다 개운하고 기분전환도 됩니다. 또 침상에서 휠체어에 앉는 것 자체가 활동량의 증가로 연결됩니다.

손을 씻은 후에는 손가락 사이까지 물기를 잘 닦아내는 것도 잊지 않도록 합니다.

② 입을 헹군다(양치질)

식사 후에 입을 헹구는 것은 당연하지만, 먹기 전에 입을 헹구는 것도 중요합니다. 공복 시 음식을 보면 타액이 나오면서 몸이 음식을 맞을 준비를 합니다. 그러나 고령자나 질환으로 충분한 타액이 나오지 않아서, 구강 내의 상태가 건조한 환자도 있습니다. 구강 내를 적셔서 혀나 점막에서 맛을 음미하기 위한 준비가 필요합니다.

또 가래가 목구멍 속에 고여 있는 경우가 있습니다. 가래가 목에 걸린 것을 그대로 두면, 음식덩어리가 가래에 달라붙어서 흡인의 원인이 되기도 합니다. 흡인 예방에는 식전 양치질도 효과적입니다.

식사 전 확인사항

① 식사의 지지방법

환자의 자립도에 따라서 사전에 지지방법을 검토합니다(표 2).

② 투약(식전약과 혈당체크)

식사에 의해서 당분을 섭취하면 혈당치가 올라갑니다. 고혈당인 환자는 혈당치의 급상승을 방지하기 위해서, 혈당치를 내리는 약(글루코바이®, 베이슨® 등)을 식사 전에 먹기도 합니다. 또 식전약의 투여가 어려운 등의 경우 혈당측정을 합니다. 혈당치에 따라서 식전에 인슐린의 피하주사가 필요합니다.

식사 전에 투약해야 할 약은 없는지, 혈당측정의 지시가 있는지 반드시 확인합니다.

③ 체위(자세와 목의 각도)

식사 때의 자세와 두경부의 각도는 흡인예방에 매우 중요합니다.

표 2 자립도에 따른 식사의 지지방법의 검토

자립	보조	인지기능에 대한 지지
• 환자는 지금까지 어떻게 식사하고 있었는가? • 식사장소는 어디가 좋은가? • 이동수단은 자립보행? 아니면 휠체어? • 이동 시 안전확보는 되어 있는가? • 필요물품은 갖추어져 있는가? • 환자의 만족도는?	• 어디에서, 어떻게 식사하는가? 침상이나 바닥 위에서 하는가, 식당으로 이동하는가? • 누가 보조하는가? • 저작 · 연하의 기능은? • 식사동작은 어디까지 가능한가? • 식사에 적합한 자세는? • 필요물품은? (자조구, 앞치마, 타월, 체위 조정용 베개 등) • 환자의 만족도는?	• 어디까지 자력으로 할 수 있으며, 어디에 지지가 필요한가? • 행위의 의미나 필요성이 전달되고 있는가? • 안전은 확보되어 있는가? • 이식증(pica)은 없는가? • 환자의 만족도는? (만족이나 기쁨을 나타내는 표정이나 언행을 관찰한다)

입으로 먹는 음식은 목구멍에서 식도를 통해서 위에 도달합니다. 이 위에서 아래로의 움직임에는 중력이 작용하고 있습니다. 식도도 음식을 아래로 보내는 연동운동을 하고 있는데, 음식 자체의 무게도 위로의 수송에 한 역할을 하고 있습니다.

이 중력을 이용하여 자연스런 연하를 촉진시키기 위해서는, 정수리에서 위까지 일직선이 되도록 자세를 조정하고, 입을 위보다 높은 위치로 합니다. 또 연하할 때에 후두개에서 기도를 덮기 위해서는 경부가 약간 앞으로 숙여져 있어야 합니다.

흡인예방에는 두부 거상 30° 이상이 되어야 합니다. 체간을 똑바로 하고, 두부를 확실히 상승시켜주는 것이 중요합니다.

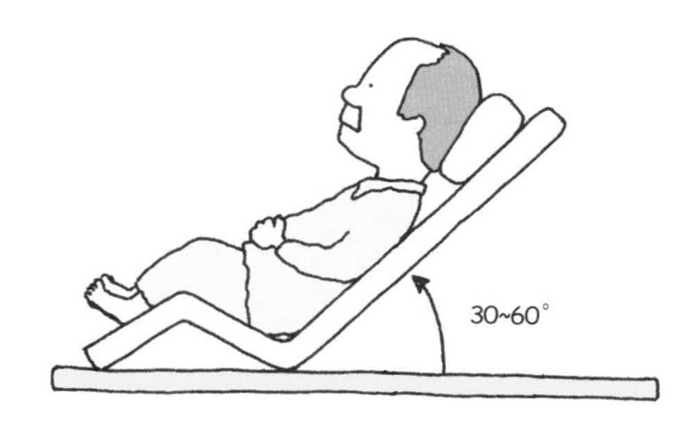

완벽한 배식방법

식사의 내용은 환자 한 사람 한 사람에 맞추어 주문되어 있습니다. 당뇨병식이나 신장병식 등 특정한 질환에 맞춘 '치료식'인 경우도 있어서, 실수는 금물입니다.

조리실에서 각 병동으로 운반되어 오는 1인분의 밥상에는 '식사팻말'이 붙어 있습니다. 거기에는 환자의 이름이나 병실 호수, 식사의 종류(당뇨병식, 신장병식 등), 내용, 칼로리가 적혀 있습니다. '메밀 금지' 등 알레르기 정보나 '잼 불필요' 등 기호의 정보를 기재하기도 합니다.

식사팻말은 환자에게 줄 때까지 쟁반 위에 얹어 놓습니다. 팻말에 적힌 이름을 확인하고 환자에게 풀네임으로 말하게 하거나, 환자인식팔찌로 확인하여 다른 환자의 식사를 주지 않도록 주의합니다.

식기배치의 규정

밥상 위의 젓가락과 밥그릇과 국그릇의 위치에는 규정이 있습니다.

오른손잡이인 경우는 젓가락을 바로 잡을 수 있도록, 젓가락을 잡는 부분이 오른쪽이 되도록 놓습니다.

경비경관영양법의 주의

경비경관영양법이란 코에서 튜브를 삽입하여, 그 끝을 위(stomach)에 유치하고, 영양제를 위까지 보내는 방법입니다.

특히 주의해야 할 점이 3가지 있습니다.

① 위내에 제대로 튜브가 유치되어 있는가?

이것이 가장 중요합니다. 빠졌거나 기관으로 들어가면 흡인성폐렴을 일으킬 수 있습니다.

튜브 끝이 위내에 위치했는지의 여부를 확인하는 방법은 2가지가 있습니다. 하나는 카테터로 위의 내용물을 흡인하는 방법으로, 위액 등이 흡인되면 문제없습니다. 또는 카테터로 위내에 공기를 넣는 방법도 있습니다. 위의 바로 위에 청진기를 대고, 꾸르륵꾸르륵 소리가 나면 튜브가 위내에 들어가 있는 것입니다.

또 유치되어 있는 튜브의 길이를 차트에서 확인하고, 실제로 몇 cm에서 고정되어 있는지를 재확인해야 합니다.

② 두부가 거상되어 있는가

영양제가 위에 들어가지 않고 역류되어 버리면, 기관으로 들어갈 염려가 있습니다. 두부를 30° 이상 거상합니다. 기본적으로 입으로 먹을 때와 같은 자세를 취합니다.

③ 낙하속도는 적절한가

영양제의 급속주입은 소화흡수기능이 따르지 못하여 설사를 일으킬 수도 있습니다. 지시받은 속도로 주입되고 있는지를 확인하는 것이 중요합니다.

또 경관영양법도 훌륭한 "식사"입니다. 식전 준비나 식사 중의 환경에도 충분히 배려합니다.

4 위생간호

매일 목욕하는 사람이라도 몸의 상태가 좋지 않거나 생각대로 몸이 움직이지 않으면, 몸을 깨끗하게 하는 것조차 귀찮아집니다. 입욕 등으로 몸을 청결하게 유지하는 것은 식사나 배설과는 달리 뒷전으로 미루기 쉬운 일상생활행동입니다.

입욕은 뜨거운 물에 몸을 담금으로써 혈행을 개선하고 자율신경의 작용을 조정하는 효과가 있지만, 한편 에너지를 소모하고 심폐기능 등 몸에 큰 부담을 줍니다.

신체를 청결하게 함으로써 기분이 상쾌해지고, 투병의욕이 솟아나오기도 합니다. 입욕이 부담스러우면 샤워를 하고 그것이 부담스러우면 족욕으로 청결하게 하는 등 방법을 검토하여 입원 전과 같은 청결도가 유지되도록 합니다.

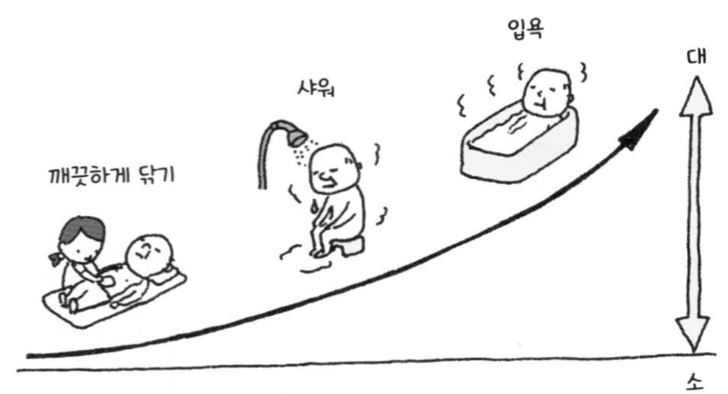

- 피부의 청결효과
- 환경촉진
- 상쾌감 : 만족감

은 커지지만

몸에 대한 부담도 커진다

청결방법의 결정

깨끗하게 닦기, 샤워하기, 입욕하기 중에 어느 방법이 환자의 상태에 맞는지에 대해 생각하는 것은 어려운 일입니다.

닦아내기만 하는 것보다 샤워가, 물로 씻어내기만 하는 샤워보다 욕조에 담그는 입욕이, 피부의 청결이나 순환촉진에 효과적이지만, 그만큼 몸에 대한 부담도 커집니다.

의사로부터 샤워가 가능하다는 확인을 받아도, 발열이나 구토 등 환자의 몸상태가 좋지 않으면 샤워는 적절하지 않습니다.

상태가 안정되어 입욕할 수 있는 환자라도, 본인의 기분이나 몸의 상태에 맞추어 입욕을 검토합니다.

입욕이나 샤워를 할 수 없는 경우에는 깨끗이 닦아 내거나 세발, 족욕 등을 검토합니다(그림 1).

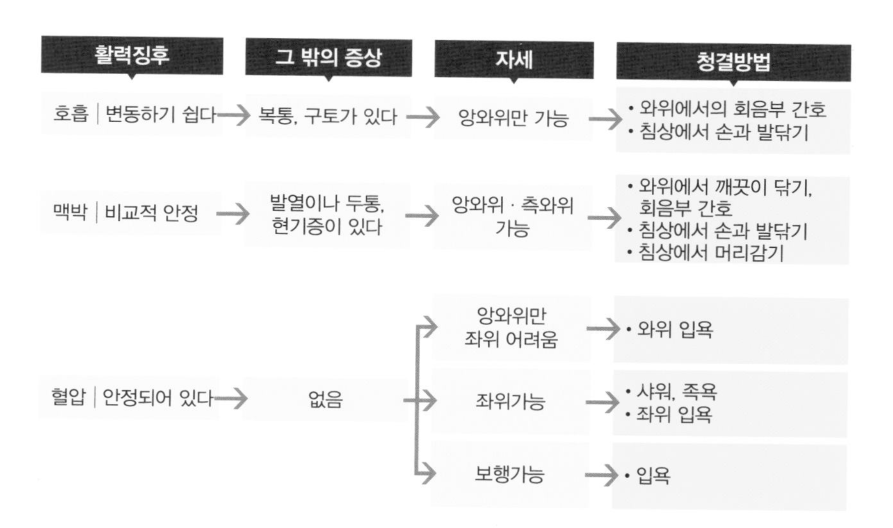

그림 1 청결방법의 간단한 기준

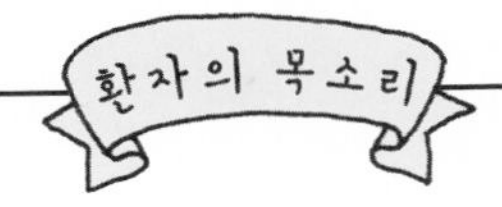

2~3일 목욕하지 않아도
죽지 않아

피곤하고 귀찮아서
목욕하고 싶지 않아

우선 목욕하고 싶지 않은 이유를 충분히 듣고 받아들입니다. 무엇을 걱정하고 있는지를 이해하고 그것을 해결하기 위한 모든 수단을 제안해 봅니다. 그리고 청결의 의의나 부담이 적고 편안하게 실시할 수 있다는 점도 설명합니다. 피로감이 심해서 목욕할 수 없는 경우는 깨끗하게 닦거나 머리감기, 족욕 등으로 부분적인 위생간호를 권해 봅니다.

처음에는 난색을 표하던 환자라도 부담을 최소화 한 지지의 제공으로 만족감을 느끼게 되면, 입욕이 귀찮다는 인상을 떨쳐버릴 수도 있고 다음 지지로도 연결됩니다.

안전 · 편안한 입욕

① 전신상태의 관찰은 "얼굴"을 중심으로

입욕 중에 가장 주의해야 할 것은 환자 몸상태의 변화입니다. 입욕은 온도변화, 수압, 이동 등으로 많은 에너지를 소모합니다. 에너지를 사용하는 만큼 많은 산소를 필요로 하므로, 호흡횟수를 많게 하여 산소를 흡입하고 심박수를 늘려서 전신으로 혈액을 보내려고 심장의 활동도 활발해집니다.

입욕은 건강하고 젊은 사람에게는 아무 것도 아니지만, 질환을 안고 입원해 있는 환자에게는 너무 힘든 행동입니다. 입욕 중과 입욕 후에는 특히 호흡상태에 주의하고 호흡을 힘들어 하지는 않는지, 평상시와 비교하여 호흡횟수가 너무 증가하지는 않았는지, 입술 색이 새파래지지는 않았는지 등 환자의 "얼굴"을 중심으로 전신상태를 잘 관찰하면서 실시합니다.

② 입욕 전 · 중 · 후는 넘어질 위험도가 크다!

욕실로 가는 길은 물론, 탈의실과 욕실의 계단이나 젖은 바닥, 비누의 미끌거림으로 더욱 미끄러지기 쉬운 욕실바닥 등 넘어지기 쉬운 곳이 많습니다. 이동할 때에는 걸음에 주의하고 난간을 활용하여 넘어지지 않도록 예방책을 강구합니다.

목욕 후에는 몸이 따뜻해져서 혈관이 확장되므로, 뇌에 있던 혈액이 한꺼번에 하지로 이동하므로 일어섰을 때에 현기증(기립성 저혈압)을 일으키기가 쉽습니다. 샤워의자나 욕조 가장자리에 일단 앉게 한 후에 탈의실로 유도하는 등 갑자기 일어서지 않도록 주의합니다.

③ 환자의 등을 차갑게 하지 않는다

환자가 목욕이나 샤워를 하고 싶지 않은 이유 중 첫째는 '춥기 때문'입니다.

벌거벗은 상태에서는 열을 점차 뺏기게 됩니다. 몸은 열을 놓치지 않으려고 근육을 가늘게 수축시켜서 열을 생산합니다. 이것이 "떨림"입니다. 열을 만들어내기 위해서 쓸데 없는 에너지를 사용하여 환자가 피로하지 않도록 입욕 전에 미리 욕실이나 탈의실을 따뜻하게 해 둡니다.

탈의실에서 의복을 벗은 상태일 때에는 어깨부터 마른 목욕타월을 덮어 줍니다. 등이 추우면 매우 춥게 느껴집니다. 몸을 씻고 있을 때에는 등에 샤워를 하고, 목욕이 끝나면 바로 등의 물기를 닦아내는 등 등에서 열을 뺏기지 않도록 합니다. '목욕해서 따뜻해졌다', '몸이 편안해졌다'라고 느끼게 하기 위해서는 추운 생각이 들지 않도록 연구하고 배려하는 행동이 중요합니다.

④ 뜨거운 물의 온도는 '목욕 온도'를 기준으로

뜨거운 물의 온도는 안전을 위한 중요한 포인트입니다.

- **수욕 · 족욕은 약 40℃** : 수욕이나 족욕은 이른바 손발의 '목욕'이니까, 약 40℃가 적절합니다. 손을 넣어서 '기분 좋다, 목욕 온도와 같구나'하는 느낌이 들면 OK입니다.

- **입욕은 38~42℃ 정도** : 뜨거운 듯한 목욕이 42℃, 미지근한 목욕이 38℃ 정도가 됩니다.
- **회음부 세정은 조금 미지근한 약 38℃** : 이른바 음부의 목욕이지만, 점막이라는 섬세한 부분도 있으므로, '목욕보다 조금 미지근하게'로 기억합니다.
- **깨끗하게 닦아 내는 것은 목욕에는 적당하지 않은 약 50℃** : 꽉 짠 타월이 차가워질 것을 고려하여, 약 50℃의 뜨거운 물이 필요합니다. 50℃는 아주 순간적으로 손을 넣을 수 있는 온도로, 목욕에는 적당하지 않을 정도로 뜨거운 물입니다.

환복의 상식

① 환의를 벗길 때는 건측, 입힐 때는 환측부터!

환의를 갈아입힐 때의 원칙은 벗길 때는 장애가 없는 건강한 쪽부터, 입힐 때는 마비나 링거가 있는 환측부터 입히는 것입니다. 수액을 달고 있는 환자 또한 마찬가지로 이 원칙에 따라서 하면 원활합니다.

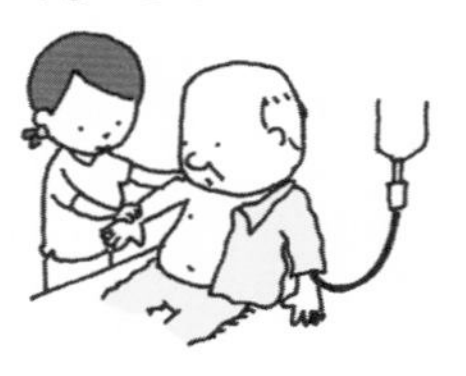

② 더러워진 옷도 환자의 일부

옷을 갈아입힌 후에는 환자의 옷을 제대로 접어서 돌려주는 것이 매너입니다. 설사 더러워졌다 해도 뭉친 옷을 건네받은 가족은 환자도 험하게 다루는 것이 아닐까 느끼게 됩니다.

혈액 등으로 많이 더러워진 경우에는 'ㅇㅇ로 더러워졌습니다. 집에서 세탁할 때에는 다른 옷과 섞지 말고, 이것만 따로 세탁하시기 바랍니다'라고 한 마디 덧붙이면 됩니다.

사전 연습기술

면도나 손톱깎기는 실습 시에 할 기회가 많은 기술입니다. 그러나 학교수업이나 연습에서는 실시하지 않는 경우도 있으므로, 사전에 스스로 연습해 두어야 합니다. 실습에서의 면도나 손톱깎기는 교수님 또는 간호사의 감독 하에 실시합니다.

① 면도(shaving)

면도의 경험이 없어도, 남성환자를 담당한 경우 전기면도기, T자면도칼을 바르게 사용해야 합니다. 주변에서 협력해 줄 남성을 찾아서 미리 연습해 둡니다.

② 손톱깎기

친구나 가족의 협조를 받아서, 다른 사람의 손톱을 깎는 것에 익숙해지도록 합니다. 어떻게 손가락을 잡으면 손톱을 깎기 쉬운지, 어느 정도까지 잘라도 괜찮은지 등을 확인해 둡니다.

족욕이나 수욕으로 손톱을 부드럽게 한 후 실시하면 쉽게 손톱을 자를 수 있는데, 피부도 부드러워져서 상처가 나기 쉬우므로 세심한 주의를 기울입니다.

위생간호는 관찰의 기회

위생간호는 관찰의 절호의 찬스입니다. 피부상태뿐 아니라 상지나 하지가 어느 정도 움직일 수 있는지, 몸에 어느 정도의 부하가 가해지면 호흡이 곤란해지는지, 피로도는 어떤지 등 여러 가지 정보를 얻을 수 있습니다. 전신을 관찰할 수 있는 여유를 갖기 위해서, 실습 전에 위생간호의 연습을 충분히 쌓아 둡니다.

수액 주입부위가 젖어 버렸다!

☞ 수액 주입부위를 물로 적시면, 드레싱테이프가 벗겨져서 바늘의 삽입부가 오염될 염려가 있습니다. 삽입부는 주사바늘을 통해서 혈관과 연결되어 있으므로, 혈행성 감염위험이 높아집니다. 삽입부는 입욕 전에 비닐주머니 등으로 확실히 보호해 둡니다. 젖어서 테이프가 벗겨진 경우나, 접착력이 약해진 경우는 간호사에게 보고하여 다시 붙입니다.

탈의실에서 기저귀를 가는데 배변하고 있었다! 목욕 중에 배설하고 말았다!

☞ 배설물이 부착된 기저귀를 비닐주머니에 넣어 처리하고, 둔부나 음부를 욕실에서 씻습니다. 욕조 내에서의 실금인 경우는 신속히 욕조에서 나오게 하고, 몸을 샤워로 씻고 나서 비누로 닦습니다. 세면장이나 욕조 내, 배수로에 물을 충분히 뿌리고 고형물은 비닐주머니에 넣는 등 배설물이나 악취를 남기지 않도록 합니다.

많은 환자와 공유하는 욕실의 오염은 삼가야 합니다. 입욕 전에 미리, 요의 · 변의의 유무나 배설을 끝냈는지를 확인해 둡니다.

누구를 위한 청결케어?

'내일 샤워하겠습니다'라는 환자와의 약속은 발열이나 구토 등 환자의 몸의 상태나, 그날의 기분에 따라서 못할 수도 있습니다.

'모처럼 계획을 세웠는데…'라는 기분은 알겠지만 그 전에 조금 생각해 봅시다. 누구를 위한 청결케어인가? 왜, 환자가 거절했는가? 어쩌면 샤워나 깨끗이 닦는 것만으로 충분하다고 생각하거나, 이전에 목욕에서 싫었던 생각이 떠오를 수도 있습니다. 필요한 정보수집과 평가를 하여 그 후의 케어방법 변경을 검토합니다.

5 배설간호

먹으면 나오는 것이 당연한 일이지만,
그것을 서포트하기가 어렵습니다…

몸에 필요한 영양분을 섭취하고 대사에 사용한 후에 남은 노폐물을 밖으로 내보내는 것을 배설이라고 합니다. 불필요해진 것을 밖으로 내보내는 활동이 막혀버리면, 복통이나 식욕부진을 일으키고 신장에 부담을 가하는 등 몸에 악영향을 일으킵니다.

배설은 인간으로서의 존엄과도 관련됩니다. 배설은 본래 혼자만의 조용하고 안정된 장소에서, 누구에게도 보이지 않고 끝내고 싶은 것입니다. 화장실에 가고 싶을 때마다 누군가를 부르고 도움을 받고 음부를 보인다면 어떤 기분이 들까요?

환자는 화장실에 갈 때마다 도움을 받는 것이 미안해서 주저하거나 참는 경우도 있습니다. 참을 수 있는 한계까지 참다가 가까스로 불렀는데, 그 준비에 시간이 걸려서 더 오래 참아야 한다면 어떨까요? 또 스스로 조절할 수 없는 경우에는 배설에 실패하여 한심한 생각이나 굴욕적인 감정을 느끼기도 합니다.

다른 사람에게 부탁하기 어렵고 수치심을 수반하므로 배설의 보조는 바쁘게, 그리고 요령껏 하는 것이 요구됩니다.

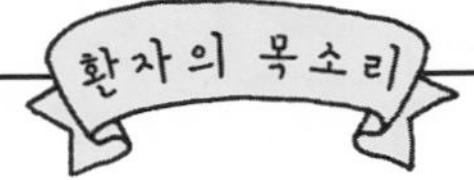

매일 화장실에 갈 때마다
nurse call로 부르기가
미안한 생각이 든다.

그렇다면

간호사에게 미안하고, 스스로 갈 수 있을 것 같아서 혼자서 화장실에 갔다가 넘어지는 경우가 흔히 있습니다. '아무 염려 말고 부르십시오'라고 말씀드리는 것도 중요하지만, 배설에 관한 문제점을 평가하여 요의·변의를 이쪽에서 확인하면 환자도 스스럼 없이 부탁할 수 있습니다.

베드 위에서 오줌을 누다니,
시트나 잠옷이 더러워지지 않을까?

그렇다면

시트가 더러워지지 않도록 방수시트를 사용하거나 잠옷이 더러워지지 않도록 위로 말아올리는 방법 등을 설명하여, 환자가 안심하고 배설할 수 있도록 합니다.

배설방법의 확인법

침상에서 지내는 경우가 많고 도움이 없으면 휠체어를 타지 못하지만, 요의나 변의를 알릴 수 있는 환자가 있습니다.

여러분은 화장실, 휴대용변기, 어느 배설방법을 선택하겠습니까? 만일 요의나 변의를 알리고 나서 기다릴 수 있다면, 휠체어로 화장실에 가는 것도 가능합니다. 절박하다면 침상에서 변기, 소변기로 도움을 받아도 됩니다.

단, 기저귀는 마지막 수단입니다. 안이하게 기저귀를 착용하는 것은 가능한 삼가야 합니다. 요의나 변의를 느끼거나, 화장실까지 참고 가거나, 다른 사람에게 알리는 능력이 매우 중요합니다. 침상에서 휴대용변기로 옮기는 것도, 침상에서의 재활치료의 하나입니다.

또 침상에서 안정된 자세나 좌위가 되지 않는 등의 이유로 바닥 위에서의 배설이 부득이한 환자도 요의나 변의가 있는 한 기저귀가 아니라, 변기나 소변기를 사용하는 보조를 제1선택으로 합니다. 변기나 소변기를 사용함으로써, 자신의 배설물이 둔부나 음부에 붙은 채 지내지 않게 됩니다.

요의나 변의가 있지만 미처 대처하지 못하는 환자에게는 적당히 화장실로 유도하여, 낮 동안만이라도 기저귀를 벗을 수 있게 합니다. 야간에만 기저귀를 착용함으로써 수면의 중단을 최소화 하거나, 안심하

표 3 배설방법의 장점과 단점

	조건	장점	단점
화장실	• 보행할 수 있음 (도움 필요) • 휠체어로 이동함	• 일반적 배설방법. 개인병실은 프라이버시가 확보됨	• 이동에 시간이 걸림(요의나 변의를 어느 정도 참을 수 없으면, 실금의 염려)
휴대용 변기	• 휠체어로 이동함 (도움 필요) • 좌위를 취할 수 있음	• 바로 볼일을 볼 수 있음 • 화장실과 같은 좌위로 가능함	• 베드사이드에서 하므로, 공동병실에서는 프라이버시가 확보되지 않음 • 배설과 식사장소가 같음
변기	• 변의 · 요의가 있음 • 허리를 들어올릴 수가 있음(도움 필요)	• 베드 위에서 배설이 가능함 • 이동에 의한 신체부담이 적음	• 와위에서는 복압을 주기 힘듦 • 배설준비에 시간이 걸림 • 침구나 침의를 더럽히는 것에 대한 불안 • 배설과 수면장소가 같음
소변기	• 요의가 있음	• 베드 위에서 배설이 가능함 • 이동에 의한 신체부담이 적음	• 배설준비에 시간이 걸림 • 침구나 침의를 더럽히는 것에 대한 불안 • 배설과 수면장소가 같음
기저귀	• 변의 · 요의가 없음 • 변의 · 요의가 있으면 배설을 참을 수 없음	• 베드 위에서 배설이 가능함 • 이동에 의한 신체부담이 적음 • 언제라도 배설할 수 있음	• 배설물이 피부에 계속 닿음 • 수치심이 커서 자존심과 관련됨 • 비용이 듦
방광 유치 도뇨관	• 요량의 정확한 측정이 필요함 • 요의가 없음 (마취 포함)	• 베드 위에서 배설이 가능함 • 이동에 의한 신체부담이 적음 • 언제라도 배설할 수 있음	• 방광염 등의 감염증의 위험이 있음 • 요의가 계속되는 수가 있다. • 관을 통한 강제적인 배뇨이며, 방광이나 요도의 기능을 사용할 수 없음

고 잘 수 있게 합니다. 낮에도 만일에 대비하여 기저귀를 착용해야 하는 환자도 있을 수 있습니다. 환자 한 사람 한 사람의 상황에 맞춰 배설 방법을 잘 조합시키는 것도 중요합니다(표 3).

방광유치도뇨관의 관리

요량의 측정이 필요한 환자에게는 방광유치도뇨관이 삽입되어 있는 경우가 있습니다. 그러나 역행성감염을 일으킬 가능성이 있어서 장기간의 유치는 권장하지 않습니다.

환자로부터 '언제나 오줌이 마려운 기분이 든다', '자신의 배설물을 다른 사람에게 보이다니 창피하다' 등의 소리를 흔히 듣게 됩니다. 방광유치도뇨관이 삽입되어 있는 경우에는 다음과 같은 점에 주의합니다.

- 매일 음부를 세정하여, 외요도구부의 청결을 유지한다. 요도구에 발적이나 종창, 분비물이 있는지 관찰한다.
- 소변의 양뿐 아니라 색, 혼탁이나 혼입물의 유무 등 성상도 관찰한다.
- 도뇨관이 주위의 물건에 걸리거나 잡아 당겨지지 않도록 관리한다. 특히 휠체어로 이동시에는 바퀴에 걸리지 않도록 주의한다.
- 소변주머니가 환자의 방광 위치보다 높으면, 튜브내의 소변이 역류하여 감염의 원인이 되는 수가 있다. 항상 방광보다 낮게 관리하고, 부득이하게 방광보다 높아지는 경우에는 튜브를 일시적으로 폐색(굴곡)시켜서 역류를 방지한다.
- 이동할 때는 소변주머니가 보이지 않도록 커버를 씌운다.

소변량 측정과 소변수집

하루 소변량의 측정이나 소변성분을 검사하기 위해서 소변수집을 하는 경우가 있습니다. 담당환자가 소변량 측정이나 소변수집을 하고 있는지 반드시 확인합니다. 오전 9시부터 다음날 오전 9시까지 24시간 수집한 경우 시작시점의 소변은 그때까지 만들어진 것이므로 모두 폐기합니다. 그리고 24시간 후인 오전 9시의 종료시점에 배뇨를 하게 하고 그때의 소변은 검사에 포함합니다. 전량을 계측함과 동시에 잘 섞은 소변의 일부를 채취하여 검사에 제출합니다.

배설간호 시, 관찰해야 할 일

배설간호를 하는 데에 정신이 없어서 그만 잊어버리는 것이 배설의 관찰입니다.

① 배설기능과 동작의 관찰

요의 · 변의 · 배설장소를 알고 있는지, 배설을 참을 수 있는지, 배설동작(화장실 가기, 바지 벗고 입기, 휴지로 닦기)이 가능한지 등

② 배설물의 관찰

- 소변의 색(소변의 농담이나 혈뇨 등), 양, 혼입물의 유무, 혼탁의 유무, 냄새 등
- 변의 색(혈변, 흑색변 등), 양, 경도, 냄새 등

대량의 배변 후 기저귀 교환시에 변이 장갑에 묻었다!

☞ 그대로 계속하면 새 기저귀에 변이 묻게 됩니다. 변의 양이 많다면 처음부터 장갑을 2장 준비합니다. 새 기저귀를 착용하기 전에 장갑을 새로 낀 후, 청결한 장갑으로 새 기저귀를 교환합니다.

기저귀 교환 후에 잠옷을 입힐 때 장갑을 벗고 손가락을 소독하는 것도 잊지 않도록 합니다.

기저귀라고 부르지 말고

유소년기에 일단 획득한 배설조절의 기능을 상실하고, 기저귀를 착용해야 하는 상태가 되는 것은 자존감이 크게 손상되는 것으로 연결됩니다. '기저귀가 더러워졌네요', '기저귀를 갈아야겠어요' 등 기저귀라는 말을 연발하면 어린애 취급을 하는 것 같은 기분이 들 수도 있습니다. '기저귀'라는 말을 '속옷'이라고 바꿔 말함으로써 인상이 전혀 달라집니다. 기저귀를 착용하는 사실에는 변함이 없지만 환자를 존중한다는 측면에서, '속옷'이라고 바꿔 말하는 것이 좋겠습니다.

COLUMN 02

알아두어야 할 간호

배액주머니와 심전도모니터

배액주머니

수술 후, 체내의 혈액이나 침출액 등의 액체를 체외로 배출할 목적으로, drainage가 시행됩니다. drainage에는 개방식과 폐쇄식이 있습니다.

개방식에서는 거즈에 체액을 스며나오게 하여, 거즈가 침출액으로 오염되면 교환합니다.

폐쇄식에서는 배액주머니내에 액체를 저류하게 합니다. 배액주머니는 체내로의 역류를 방지하기 위해서, drainage하고 있는 위치보다 항상 낮게 유지해야 합니다. 또 drain이 빠지거나 체내에서 drain 끝의 위치가 어긋나지 않도록 신체 표면에 테이프로 확실히 고정되어 있는지, 당겨지지는 않는지를 항상 확인합니다.

심전도모니터

부정맥이 있는 환자는 심전도모니터를 착용하는 경우가 있습니다. 심전도모니터의 파형을 관찰함과 동시에, 촉진이나 청진으로 맥박이나 심박의 횟수, 리듬, 세기 등를 확인합니다.

심전도모니터의 전극은 정기적으로 교환이 필요합니다. 벗겨진 것을 발견하면 간호사에게 보고하여, 교환날짜가 아니더라도 교환합니다.

6 활동 및 운동간호

환자의 "활동"이라는 것은,
무엇을 가리키는 것일까요?

밥을 먹는다, 세안이나 양치질을 한다, 몸치장을 한다, 공부한다, 운동한다 등 신체를 움직여서 하는 것 전부가 "활동"입니다. 병이나 상처로 생각대로 몸을 움직이지 못해서 식사나 청결, 배설, 이동 등의 일상생활을 하는 데에 남의 힘을 빌려야 하는 상황은 신체상의 변화, 자존심의 저하 등을 초래합니다.

상실되어 버린 신체의 자유를 가능한 신속히 되찾을 수 있도록 환자의 몸을 움직이는 기능이 유지 · 회복되도록 지지와 더불어, 가지고 있는 힘을 충분히 발휘할 수 있는 관계가 중요합니다.

부동의 합병증

바닥위 안정이 오래 계속되어 자리를 보전하고 누운 상태가 되면, 폐용증후군(disuse syndrome)이라는 심신기능의 저하를 일으킵니다. 주요 기능저하로는, 욕창, 근위축, 관절구축, 기립성저혈압 등이 있습니다. 이것을 방지하기 위해서 세심한 체위변경과 활동을 촉진시키는 것이 중요합니다.

욕창 예방

자리를 보전하고 누운 채 몸을 움직이지 않으면 근력저하나 관절구축이 일어남과 동시에 동일부위가 압박을 받게 되어 욕창이 생기기 쉽습니다.

욕창은 압박 등으로 혈류가 저하된 장소에 형성되기 쉽고 저영양이나 피부의 습윤으로 악화됩니다. 즉 뼈가 돌출되어 있어서 베드와 자신의 체중으로 압력이 가해지기 쉽습니다. 또한 기저귀의 착용으로 땀이 차기 쉽고, 배설물로 습윤상태가 오래 지속되는 "선골부"에 가장 많이 생깁니다. 또 저영양에 빠지기 쉬운 자리를 보전하고 누운 고령자인 경우는 특히 욕창발생의 위험이 높습니다.

앙와위에서는 30° 이상 두부를 거상하면, 선골부가 압박을 받기 쉬워지므로 30° 이하로 합니다. 또 앙와위뿐 아니라 정기적으로 측와위나 좌위를 취하는 등 베개나 쿠션을 효과적으로 사용하면서 체위를 검토하는 것이 중요합니다.

욕창은 무게가 가해지기 쉽고 뼈가 돌출되어 있는 근육이나 지방이 얇은 부분에 흔히 생깁니다. 마루판 등의 딱딱한 바닥 위에서 앙와위, 측와위로 오랫동안 누워 보십시오. 무게가 가해지면서 닿고, 아파지는 부분이 있습니까? 그곳이 욕창의 발생부위입니다.

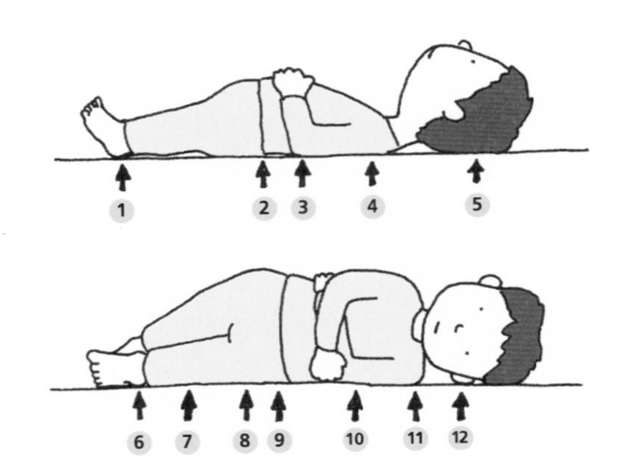

욕창의 발생부위

- **앙와위** ① 발꿈치, ② 천골, ③ 팔꿈치, ④ 견갑골, ⑤ 후두 등
- **측와위** ⑥ 발꿈치, ⑦ 무릎, ⑧ 대전자, ⑨ 장골, ⑩ 늑골, ⑪ 견봉돌기, ⑫ 귀 뒤 등

기립성 저혈압으로 인한 넘어짐 방지

움직일 때는 교감신경이, 쉴 때는 부교감신경이 우위가 되지만, 자리를 보전하고 누우면 자극이 적어져서 그 자율신경의 교환이 잘 이루어지지 않게 됩니다.

자율신경은 심기능이나 말초혈관의 확장 · 수축을 조절하는 점에서, 자율신경의 균형이 무너지면 혈압이나 맥박의 조절능력도 둔해집니다. 그 때문에 와위에서 좌위, 좌위에서 입위 등 두부를 거상했을 때에 혈압이 한꺼번에 내려가는 기립성 저혈압을 일으켜서 넘어지는 수가 있습니다.

넘어지는 것을 방지하기 위해서는 갑자기 일어서지 말고, 잠시 입위를 유지한 후에 걷기 시작하는 등 혈압을 안정시킨 후에 행동하는 것이 중요합니다. 침대에서 휠체어로 이동할 때는 넘어질 것에 대비해서 난간을 잡게 하거나, 바로 앉을 수 있게 하는 대책 등도 효과적입니다.

일상생활동작ADL의 재활치료

물리치료나 작업치료를 하는 것만이 재활치료가 아닙니다. 일상생활의 행동을 가능한 스스로 할 수 있게 하는 것이 재활치료의 목적입니다. 받는 도움이 최소한이 되면 환자 본인도 보조자도 편해집니다.

① 우선 자다가 몸을 뒤칠 수 있도록

자리에 보전하고 누워도, 자다가 몸을 뒤칠 수 있으면 욕창이 잘 생기지 않고 베드 주위의 물건도 손으로 쉽게 잡을 수 있습니다. 옷을 갈아입는 것도 단시간에 끝낼 수 있습니다. 어디에 어느 정도의 힘을 빌리면 자다가 몸을 뒤칠 수 있게 될까요? 침대난간을 붙잡게 하는 등 주위의 사물을 이용하여, 그 사람 나름의 패턴을 환자와 함께 확립해 갑니다.

② 허리를 들어 올린다

허리를 들어 올리게 되면, 바지타입의 의복을 갈아입기가 편할 뿐 아니라, 욕창도 잘 생기지 않게 됩니다. 허리를 들어올리기 위해서는 하지의 근력뿐 아니라 상지의 근력, 배근, 복근 등 전신의 근력을 사용합니다. 근력향상을 위해서도 기저귀를 교환할 때에는 환자에게 허리를 들어 올리도록 권합니다.

또 머리를 들어올리게 되면 베개의 교환이나 머리감기 등도 원활히 할 수 있게 됩니다.

③ 좌위를 유지한다

식사 메뉴를 보면서 젓가락을 사용하여 밥을 먹거나 화장실에서 배설하기 위해서는 좌위를 유지해야 합니다. 앉아 있을 수 있으면 식사나 배설의 방법이 크게 달라집니다.

침대의 머리쪽을 올려서 다리를 편 체위보다, 베드 끝에 걸터앉아서 발바닥을 바닥에 붙인 상태의 체위가 균형을 잡기 위해서 사용하는 근육도 많아져서 효과적입니다. 수욕 등의 다른 지지와 병행하여, 침대에서 떨어지지 않도록 주의하면서 실시해 봅니다.

④ 휠체어로 이승

휠체어에 이승할 때는 '일어나 앉는다, 침대 끝에 걸터 앉는다, 선다, 입위를 유지한다, 선 채 몸의 방향을 바꾼다, 앉는다'는 일련의 동작이 필요합니다. 환자가 할 수 있는 동작과 할 수 없는 동작을 파악해 둡니다.

휠체어로 이동하는 동작은 재활치료가 됩니다. '침상에서 일어설 수는 없지만, 좌위를 유지할 수 있다', '일어서는 근력은 없지만, 몇 초정도 입위를 유지할 수 있다' 등 환자가 지금 할 수 있는 능력을 확인하고, 항상 그 힘을 사용할 수 있도록 힘쓰는 것이 중요합니다. 휠체어의 발판에 발을 얹고 내리는 동작을 할 때에도, 모두 도와줄 것이 아니라, 환자에게 말을 걸면서 가능한 스스로 발을 들어올리게 합니다.

⑤ 재활치료로 연결하는 동작을 확인한다

세세한 동작도 일상생활을 하는 중에 하게 합니다. 잠옷의 단추를 채우고, 머리를 빗으며, 얼굴을 씻고, 식기를 가져가서 먹는 등 환자의 재활치료로 연결되는 동작이 있는지 항상 생각하면서 간호를 진행합니다. 또 입욕이나 족욕 등으로 뜨거운 물에 담그고 있을 때에는 온열효과로 힘줄이나 근육이 풀리게 됩니다. 이 타이밍을 놓치지 말고, 말초관절에서 순서대로 움직여서 부드럽게 하는 것도 재활치료의 하나입니다.

생각하면서 간호를 진행합니다. 또 입욕이나 족욕 등으로 뜨거운 물에 담그고 있을 때에는 온열효과로 힘줄이나 근육이 풀리게 됩니다. 이

타이밍을 놓치지 말고, 말초관절에서 순서대로 움직여서 부드럽게 하는 것도 재활치료의 하나입니다.

낮잠이 많은 환자

담당환자가 낮에 잠만 자는 경우, '무리하게 깨우는 것이 좋지 않다'고 생각할 수도 있습니다. 그러나 낮에 장시간 자게 되면 밤에 잠을 못 자게 되어 신체의 회복에 악영향을 줍니다. 수면을 충분히 취할 수 없는 경우는 '섬망'이라 불리는 정신증상의 유인이 됩니다.

담당환자가 밤낮이 바뀌는 경향이 있는 경우 낮에 가능한 일어나 있게 하는 방법이 필요합니다. 환자의 취미활동을 함께 하는 등 간단한 레크레이션을 생각해 보는 것도 좋습니다.

날씨가 좋으면 산책하러 나가거나 기분전환으로 휠체어로 병원 내를 돌아보는 것도 효과적입니다. 지도나 산책의 범위를 미리 확인하고 환자에게 병동 밖의 기온에 맞는 복장을 하게 하며, 슬리퍼나 샌들이 아니라, 넘어짐을 방지하기 위해서 발뒤꿈치가 있는 신발을 신게 하는 등의 준비를 빠짐없이 합니다. 병동 밖으로 나갈 때는 간호사나 교수님께 보고하는 것도 잊지 마십시오.

그런데도 낮에 잠을 자는 경우에는 시간을 정해서 낮잠을 자게 합니다. 너무 오래 자면 밤에 자지 못한다고 설명한 후에 '시간이 되면 깨우겠습니다'라고 알리면 됩니다. 선잠 시간은 낮잠에 적절한 20분 정도를 기준으로 그 날의 환자 상태에 맞추어 시간을 설정합니다.

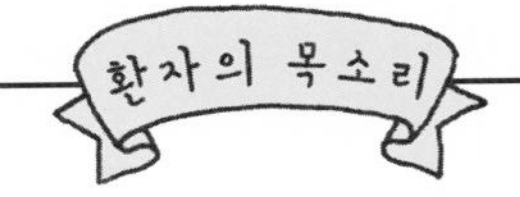

슬리퍼도 괜찮아.
안 넘어져.

슬리퍼나 샌들은 신뒤축이 벗겨지지 쉽고, 발바닥이 미끄러지기 쉬운 점 등에서 보행이 불안정한 환자에게는 부적합합니다. 특히 수술 후나 장기와상 후에 처음 자리에서 일어난 경우에는 하지의 근력저하나 보행시에 균형이 흔들리게 되어 넘어질 위험이 높습니다. 이것을 방지하기 위해서, 이러한 위험성을 잘 설명하고 환자나 가족에게 뒤쪽이 벗겨지지 않는 신발을 준비하게 합니다.

환자가 복도의 난간에서 멀리 떨어진 장소에서 보행연습을 하고 있다!

☞ 넘어질 것 같을 때 바로 잡을 수 있도록, 난간을 잡고 걷게 합니다. 보행연습을 할 때뿐 아니라 복도의 사소한 것이 보행에 방해가 될 수 있습니다. 내놓은 채 그대로 둔 휠체어나 링거대 등 보행에 방해가 되는 것이 복도나 병실내에 있는지 확인합니다.

휠체어 조작이 잘 되지 않는다! 휠체어바퀴에 링거줄이나 튜브가 걸리거나, 환자의 팔이 길모퉁이나 화장실의 출입구에 부딪힌다

☞ 휠체어를 미는 속도조절뿐 아니라 세세한 움직임의 연습이 필요합니다. 사전에 학교에서 좁은 장소에서의 방향전환이나 정해진 위치에 잘 멈추는 연습을 해둡니다.

7 검사간호

검사실까지 환자를 보내고
시간이 되면 모시러 갑니다.
이것만으로 충분할까요?

검사는 질환의 진단이나 중증도 등을 봄과 동시에, 치료방법의 결정이나 실시한 치료를 평가하기 위해서 실시합니다.

병원에서 시행되는 검사는 크게 2가지로 나뉩니다. 환자의 신체 그 자체를 검사하는 '생리기능검사'와 환자의 몸에서 채취한 것을 검사하는 '검체검사'입니다(표 4).

또 검사의 종류에 따라서 침습도(환자에게 주는 부담의 정도)가 달라집니다. 배설된 소변이나 대변 등의 검사는 침습이 적지만, 수액채취나 혈관조영, 내시경, 생검 등은 침습이 커서, 수술에 준하는 것으로 취급되며 승낙서가 필요한 경우도 있습니다.

표 4 병원에서 시행하는 검사

검사의 종류	목적	구체례
생리기능검사	신체 그 자체를 검사한다.	X선, CT, MRI, 혈관조영, 내시경, 초음파, 심전도, 폐기능 등
검체검사	몸에서 나온, 또는 채취한 것을 검사한다.	혈액, 소변, 변, 가래, 수액, 생체조직(신생검, 간생검) 등

검사하러 가기 전 확인

환자에게 검사가 예정되어 있는 것을 알았다면, 검사시간과 장소, 종류와 사전준비 →p.74, 검사 후의 주의점 →p.77을 확인합니다. 스스로 확인할 뿐 아니라, 환자가 그 검사에 관해서 이해하고 있는지를 확인하고, 부족한 정보가 있으면 준비하도록 사전에 조사해 둡니다.

무엇을 하는지 모르는 검사는 불안한 법입니다. 특히 고통을 수반하는 검사인지의 여부는 환자의 최대 관심사입니다. 검사의 목적, 방법, 소요시간, 주의점을 알기 쉽게 전달하고 검사 전의 불안의 경감에 힘씁니다. 그러기 위해서는 자신이 그 검사에 관해서 올바른 지식을 가지고 있는 것이 중요합니다.

① 시간과 장소

검사의 시작시간을 확인하고, 5분 전에는 검사실에 도착하도록 합니다. 입원해 있는 환자는 전화로 부른 후 검사실로 가는 경우도 많지만, 아무래도 검사시작 시간의 기준을 확인해 두고 청결케어나 처치 등이 겹치지 않도록 유의합니다. 또 검사하러 가기 전에 환자에게 배설을 마치게 하여 시간과 마음의 여유를 가지고 검사에 임하도록 합니다.

② 검사의 종류와 사전준비

받는 검사의 종류에 따라서는 사전준비가 필요합니다. 어떤 검사라도 마치고 돌아갈 때의 안전확보는 물론, 보온이나 프라이버시에 대한 배려도 잊지 않도록 합니다.

[주요 생리기능검사]

- **X선검사** : X선이라는 방사선을 사용하여, 뼈나 내장의 상태를 촬영하는 검사입니다. 여성의 경우 피복에 의한 태아의 영향을 고려하여, 임신 유무와 가능성에 관해서 확인합니다.

  검사 전에는 촬영부위에 있는 금속류(목걸이 등의 장식품이나 브래지어 등)를 벗습니다. 부주의로 다시 촬영하게 된 경우 환자는 쓸데없는 피폭을 당하게 됩니다.
- **CT (Computed Tomography)검사** : 컴퓨터단층촬영법이라고 하며, X선검사처럼 방사선을 사용하여 체내의 장기를 단층사진으로 촬영합니다. 임신 중에는 가능한 촬영을 삼갑니다. 검사 전에는 금속류를 벗는 등의 주의점도 X선검사와 같습니다.

- **MRI (Magnetic Resonance Imaging)검사** : 자기를 사용하여 영상을 묘출하는 검사입니다. X선이나 CT와는 달리 방사선을 사용하지 않으므로, 신체에 대한 영향이 적습니다.

  MRI는 이른바 큰 자석이므로, 철분을 함유한 물질은 가지고 들어갈 수 없습니다. 잘못하여 링거스탠드나 휠체어, 산소봄베를 가지고 들어가서, 강력한 자석이 있는 기계에 순식간에 붙어서 환자가 다치는 사고 등도 일어나고 있습니다.

철분을 함유한 물질

시계, 안경, 보청기, 틀니, 심장페이스메이커, 인공관절이나 뇌동맥류의 클립, 금속류가 붙은 브래지어나 슬립, 귀금속(반지, 목걸이 등), 헤어핀, 철분을 함유한 색소를 사용한 문신(타투)이나 마스카라 등

- **내시경검사** : 위나 대장 등의 내시경검사인 경우는 전날부터 식사가 제한됩니다. 대장내시경검사에서는 취침하기 전과 검사당일 아침에 하제를 복용하고 장내를 비워둡니다. 언제부터 식사가 중지되는지, 식수가 제한되는지를 확인해 둡니다.

  전투약으로서 항콜린제(주로 부스코판®)가 투여됩니다. 항콜린제는 아세틸콜린의 작용을 저해함으로써 부교감신경을 억제하고, 장관의 작용을 둔화시킬 목적으로 사용됩니다. 부작용으로 구갈, 변비 외에 심계항진이나 부정맥이 있으므로, 이 증상들이 나타나는지 관찰합니다.

검사실로 이동할 때와 검사 중일 때

검사의 시작시간에 맞추어 검사실로 향합니다. 휠체어, 이동용 침대(stretcher) 등의 이동수단에 따라서 주의할 점을 확인해 둡니다(표 5).

「○○검사에 다녀오겠습니다」라고 교수님 또는 간호사에게 한 마디 알려두면, 무슨 일이 있을 때에도 안심입니다. ID카드나 차트 등 잊은 물건이 없는지 확인한 후에 출발합니다.

검사는 가능한 견학하도록 합니다. 검사가 어떻게 시행되고 있는지,

검사 중 환자의 상태, 의료인의 환자에 대한 대화나 배려 등 공부가 되는 것이 많이 있습니다.

대부분의 검사실에는 학생 한 사람이 견학할 수 있을 정도의 공간이 있습니다. 「담당학생인데, ㅇㅇ씨의 검사를 견학하게 해 주십시오」라고 검사기사에게 전하면, 견학할 수 있는 위치를 알려줄 것입니다. 간호사로 근무하게 되면, 환자가 어떤 검사를 받는지 볼 기회가 거의 없습니다. 학생 시절에 가능한 많은 경험을 해둡니다.

표 5 검사시 이동수단에 따르는 주의점

도보	휠체어	이동용 침대(stretcher)
		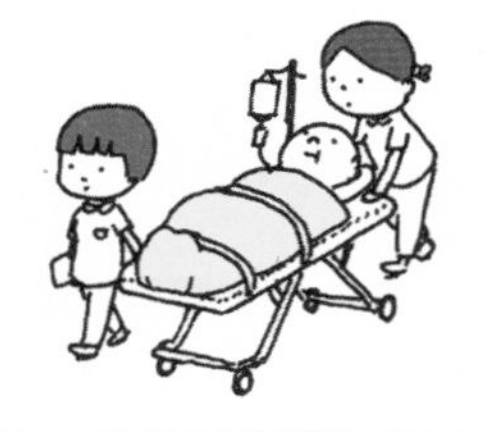
• 슬리퍼가 아니라, 가능한 신발을 신게 한다. 양말과 슬리퍼는 특히 미끄러지기 쉬우므로 주의한다. • 링거대를 가지고 갈 때는 특히 엘리베이터를 오르내릴 때에 휠체어바퀴가 걸리지 않도록 주의한다. • 계절에 따라서는 병동 밖이 추우므로 겉옷 등을 걸치게 한다. • 가운이 벌어지지 않았는지 확인한다.	• 수액을 달고 있는 경우는 휠체어에 장착하는 타입의 링거봉에 꽂는다(환자에게 링거대를 잡게 하는 것은 매우 위험하다). • 엘리베이터에는 등을 돌려서 탄다. 경사진 길은 등을 돌려서 내려간다. • 무릎덮개나 겉옷 등으로 보온한다. • 소변주머니나 drain bag에는 커버를 덮어서, 밖으로 보이지 않도록 배려한다.	• 담요 등은 위에서 벨트로 몸을 확실히 고정시킨다. • 이동용 침대는 가능한 둘이서 이동한다. • 발끝이나 어깨가 담요 밖으로 나오면 추위를 느끼기 쉬우므로, 확실히 밀착시키게 덮는다. • 발쪽이 앞이 되도록 이동한다. 엘리베이터에는 머리부터 들어가고, 경사진 길에서는 머리쪽이 항상 위가 되도록 한다.

검사 종료 시 돌아올 때

검사 후에는 '수고하셨습니다', '애쓰셨습니다' 등 수고에 대한 감사의 인사를 합니다. 동시에 환자의 표정이나 피로도를 확인합니다. '기분은 어떠십니까?', '피곤하지는 않으십니까?' 등 말을 건네면서 환자의 반응을 관찰합니다.

기분이 좋지 않거나 피곤해 보일 때는, 걸어서 온 환자라도 휠체어로 병동으로 돌아갑니다.

검사 중에 진정제를 사용한 경우도, 마찬가지로 휠체어로 병실에 돌아옵니다. 걸어서 돌아가는 경우에도 환자의 상태를 살피면서 도중에 의자에 앉아서 쉬는 등의 대처를 합니다.

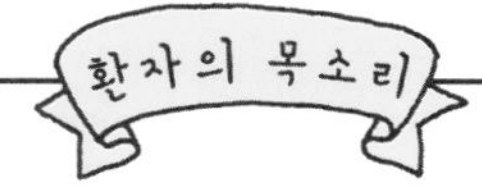

OO검사는 처음이었다.
너무 긴장이 된다. 아프지 않으려나.
시간이 얼마나 걸릴까…

그렇다면

처음 하는 검사는 어떻게 하는지 모르기 때문에 크게 불안해합니다. 검사의 내용, 소요시간, 통증이 있는지의 여부 등 환자가 걱정하는 것을 알기 쉽게 설명합니다. 환자가 묻는 말 중에 모르는 내용이 있으면, 간호사에게 확인한 후에 대답합니다.

조영제, 바륨의 배설

조영제를 사용한 경우는 조영제를 체외로 신속히 배출할 목적으로 가능한 많은 물을 마시게 합니다.

또 바륨을 사용한 경우는, 하제와 함께 수분을 많이 섭취하여, 변과 함께 신속히 배설해야 합니다. 바륨은 단단해지는 성질이 있어서 장내에서 굳어서 정체되어 버리는 것을 피하기 위해서입니다. 24시간 이내에 흰색 또는 회색을 띤 변이 배출되는지를 반드시 확인합니다. 환자에게도 이 점을 설명하고 적극적으로 수분을 섭취하게 하며, 배변상황을 확인하게 합니다.

검사 당일 환자가 빵을 먹고 우유를 마셨다. 어제 금식이라고 전달했는데!

☞ 이런 경우는 자주 일어납니다. 검사는 다른 날에 다시 설정하게 됩니다.

확실히 설명했다 해도 환자는 뜻밖의 해석을 하는 경우가 있습니다. 예를 들면, '아침밥은 드시지 마십시오. 물도 마시지 마십시오'라고 설명하면 '밥이 안되니까 빵을 먹었고, 물도 안 된다고 해서 우유를 마셨다'고 하는 경우가 있습니다.

특히 처음인 경우는 어떤 검사인지, 식사를 해서는 안 되는 이유도 함께 전달해야 합니다. '내일은 위 내시경검사가 있습니다. 아침은 식사와 수분을 일절 드시지 마십시오. 위 속을 비우지 않으면 위 속이 잘 보이지 않거나, 도중에 속이 안 좋아졌을 때에 토하게 됩니다'라고 구체적으로 설명합니다.

8 산소화간호

우리들이 당연히 하고 있는 호흡.
어떤 경우에 지지가 필요할까?

숨을 들이마시거나 내뱉는 것을 평소에는 의식하지 않습니다. 계단을 뛰어올라가거나, 지각할 것 같아서 달릴 때에 '숨이 차다', '숨이 가쁘다'라고 느끼며 호흡을 의식하는 것이 보통입니다.

운동을 하지도 않았는데 '숨이 차다', '숨이 가쁘다', '호흡횟수가 증가한다'는 것은 혈중의 산소가 부족한 상태이며, 에너지의 산출이 따라가지 못하는 상태입니다. 즉, 호흡을 항상 의식해야 하는 상황은 안심할 수 있는 보통 상태가 아닙니다. 숨이 가쁘다고 생명의 위기를 바로 느끼므로 정신적으로도 불안정해져서 쉽게 패닉을 일으키게 됩니다.

호흡상태에 문제가 있는 환자의 경우, 많은 산소를 필요로 하는 보행, 입욕, 식사 시에, 특히 호흡상태의 관찰이 중요합니다.

흡인 시의 주의점

기도에 있는 가래를 제거하기 위한 흡인은 카테터가 점막을 자극하므로, 아무리 능숙한 사람이 해도 어느 정도의 고통을 수반합니다. 흡인 중인 환자의 괴로운 듯한 표정을 보면 저절로 손이 멈춰지게 됩니다. 그러나 어설픈 흡인을 여러 번 반복하기보다, 가래를 제거하는 흡인을 제대로 한 번에 끝내는 편이 환자에게 좋습니다.

가래가 있다고 바로 흡인을 하는 것이 아니라 방 전체의 공기를 가습하거나, 흡입을 하여(흡인에는 의사의 지시가 필요) 사전에 가래를 부드럽게 해두어야 합니다. 가래가 나오기 쉬운 체위를 취하게 하고 기침을 하게 하여 가래를 가능한 목구멍까지 끌어올림으로써, 흡인 시간이나 횟수를 최소화 할 수도 있습니다.

가래가 많이 나오는 환자에게는 식사 전 · 중 · 후에 흡인을 준비합니다. 가래가 목구멍에 걸린 상태에서는 음식이 걸려서 흡인으로 연결되는 수가 있으므로, 식전에는 반드시 가래를 제거합니다. 또 식사를 시작한 순간에 음식의 수분이나 인두로의 자극에 의해서 가래가 흘러나올 수 있습니다. 식사 중에는 언제라도 바로 가래를 제거할 수 있도록 흡인 준비를 해둡니다.

산소요법(산소투여)

대기 중에 함유하는 산소농도(21%)에서는 체내의 산소량이 부족한 경우, 호흡의 서포트를 목적으로 산소요법이 시행됩니다.

① 비강캐뉼라(nasal cannula)

유량 4L/분 이하의 산소를 투여할 때에 사용되며, 식사나 대화를 방해하지 않습니다. 콧구멍으로 캐뉼라의 끝을 조금 넣고 산소를 보내기 때문에, 비점막이 건조하기 쉬워지거나 캐뉼라나 튜브가 계속 닿는 부분(코의 점막, 귀나 볼 등)이 아프고 염증이 생길 수 있으므로 피부의 보호가 중요합니다.

구강호흡에서는 효율적으로 산소를 흡입할 수 없으므로, 환자에게 입호흡이 나타나는 경우에는 '코로 호흡하십시오'라고 알려주어야 합니다. 코막힘도 해소해 주지 않으면, 숨쉬기가 힘들므로 주의해야 합니다.

또 특히 여성환자의 경우, 비강캐뉼라의 장착으로 부끄러움을 느끼는 경우가 있습니다. 외출시나 면회할 때에는 캐뉼라를 장착한 위에 마스크를 착용하도록 합니다.

② 저장주머니가 부착된 산소마스크

일반적인 산소마스크보다 고농도의 산소가 필요할 때에 사용합니다. 마스크를 한 채로는 식사를 할 수 없거나 대화를 알아듣기 힘듭니다. 또 입과 코 전체가 덮여 있어서 숨쉬기가 힘들어서 마스크를 벗어버리는 경우도 있습니다.

마스크의 고무가 조여서 힘들게 느껴질 수 있으므로, 고무의 조임 조절이나, 마스크, 고무가 닿는 부분의 피부 보호에도 주의를 기울입니다. 거즈를 사이에 대거나, 드레싱재를 붙이는 방법 등이 있습니다.

식사할 때에는 비강캐뉼라로 변경하는 경우가 많은데, 충분한 산소량을 얻을 수 없는 경우가 고려됩니다. 식사시간이 너무 오래 걸리지 않도록 주의합니다.

또 산소는 타기 쉬운 성질이 있어서, 산소요법 중에는 화기엄금입니다. 재택산소요법을 하는 경우가 많은 COPD(만성폐쇄성폐질환)인 환자에게는 산소요법을 하는 근처에서 흡연이나 불을 사용하는 조리 등을 하지 않도록 전달해 두는 것도 중요합니다.

Saturation monitor

흡상태를 보기 위해서 Saturation monitor에 의한 경피적동맥혈산소포화도[SpO_2 : Saturation(포화상태), Pulse(맥박), Oxygen(산소)]를 측정할 때에는 그 수치에만 의존하지 않도록 합니다.

SpO_2가 99%라고 해서 안심할 수 없는 이유가 몇 가지 있습니다.

SpO_2는 헤모글로빈(Hb) 전체에 대한 산화 Hb(산소와 결합할 수 있는 Hb)의 비율을 %로 표시합니다. 원래 Hb의 수가 적어진 빈혈환자에게는 99%라도 충분한 산소량을 혈중으로 흡입하고 있다고는 할 수 없습니다.

또 일산화탄소중독 환자에게는 혈중에 일산화탄소 Hb(Hb에 일산화탄소가 결합)가 증가하고 있지만, 일반적인 산소포화도 측정기로는 산화 Hb와 일산화탄소 Hb를 구별할 수 없으므로, SpO_2가 높은 수치를 나타내게 되어, 언뜻 보기에 문제가 없는 것처럼 보입니다.

호흡상태를 볼 때에는 Saturation monitor에만 의존하지 말고, 환자의 표정이나 호흡횟수 · 깊이 · 리듬과 함께, 검사치(SpO_2 : 동맥혈산소분압 등)도 함께 확인합니다.

생활행동 속에서 호흡 관찰

호흡상태는 활력징후의 측정 시에만 관찰하는 것으로는 불충분합니다. 보행, 목욕, 재활치료 등 골격근이 산소를 필요로 하는 일상생활행동이나 식사(연하)나 대화 등 숨을 멈추거나 호흡의 리듬을 바꿔야 하는 경우도 숨이 차거나 호흡곤란이 나타나는지를 항상 관찰합니다. 목욕 순서나 재활치료의 내용에 열중하다가 환자의 호흡이 거칠어지거나, 안색이 변한 것을 알아채지 못하는 일이 없도록 주의합니다.

숨이 차거나 호흡곤란이 나타나는 경우에는 바로 눕히지 말고 좌위를 취하게 합니다. 가능한 상체를 일으켜 세움으로써 횡격막이 내려가서 폐로 공기가 쉽게 들어가기 때문입니다.

호흡곤란이 무엇을 할 때 나타나는지, 나타난 후 어느 정도 시간이 경과했는지를 간호사에게 보고함과 동시에 호흡횟수나 리듬, 깊이, 숨소리, 복부 · 흉부 · 어깨의 움직임, 표정, 입술색, SpO_2 등 호흡상태의 관찰이나 맥박을 측정하며, 증상이 악화되지 않았는지를 주의깊게 살핍니다.

호흡곤란을 일으키기 쉬운 환자인 경우는 호흡곤란을 일으키지 않기 위해서 어떻게 해야 되는지, 다음에 일어났을 경우에는 어떻게 대처할 것인지를 미리 생각해 두었다가, 호흡곤란이 일어났을 때에 환자도 자기 자신도 당황하지 않도록 확실히 대비해 둡니다.

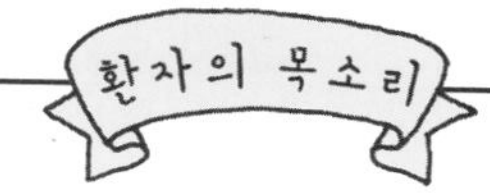

화장실에 갔더니 힘들어요

호흡이 힘들어요

그렇다면

'힘들다'거나 '호흡이 힘들다'는 호흡곤란감을 나타내는 말이기도 합니다. 불안이나 통증이 호흡곤란감을 증강시키고 있는 경우도 있으므로, 이 요인을 제거하는 것도 중요합니다.

호흡곤란감은 '죽음'을 느끼게 하므로, 불안감이 심해지거나 호흡곤란감이 증가하는 불안에 빠지기 쉽습니다. 증상이 나타났을 때는 안정된 태도로 옆에 같이 있으면서 등을 쓰다듬어 주거나, 심호흡을 하게 하면서 환자의 불안을 경감시키도록 힘씁니다.

검사를 마치고 병실로 돌아오면, 환자의 호흡이 힘든 것 같다. 산소캐뉼라는 확실히 연결되어 있는데?

☞ 산소유량계의 다이얼 돌리는 것을 잊어버려서 산소가 나오지 않는 것을 환자의 호소로 알게 되는 경우가 있습니다. 산소유량계의 눈금이 바른 위치에 있어서 지시량이 투여되고 있는지, 어디에서 산소가 공급되고 있는지(산소통인지 중앙배관인지), 산소의 공급루트가 폐색되어 있지 않은지 등 항상 확인하는 것이 중요합니다.

또 산소요법 중인 환자가 검사 등으로 병실을 떠난 후에도, 벽의 중앙배관에 접속되어 있는 산소유량계가 산소를 열어놓은 채 그대로인 경우가 흔히 있습니다. 산소요법 중인 환자가 이동할 때는 산소유량계에도 주의를 기울입니다.

9 투약간호

약에 관한 것은 약제사에게
모두 맡기면… 되는 건가?

담당환자에게 처방되는 약이 무엇인지 알게 되면, 현재 시행되고 있는 치료의 내용을 알 수 있습니다. 혈압을 내리는 강압제, 혈당을 내리는 혈당강하제 등 질환의 증상에 대응하는 약(대증요법)도 있지만, 폐렴환자의 체내에 침입한 세균의 증식을 억제하는 항균제, 악성종양의 증식을 억제하는 항암제 등 병의 근본적인 치료(근치요법)를 목적으로 질환의 원인이 되는 물질에 작용하는 약도 있습니다.

또 위장에 질환이 없는 환자라도 진통제를 내복하고 있는 경우, 위장약이 처방되기도 합니다. 진통제 속에는 위산분비를 억제하여 위의 점막을 손상시키는 것이 있기 때문에, 위점막을 보호하기 위한 처방입니다.

약의 처방을 확인함과 동시에 약이 효과가 있는지, 부작용은 나타나지 않는지도 함께 관찰합니다.

복용약 확인

환자가 복용하고 있는 약을 검사할 때에는 표6의 항목을 반드시 파악해 둡니다. 이 항목들은 약제에 첨부되어 있는 의약품첨부문서에 기재되어 있는 것 외에 의약품집 등에서도 알 수 있습니다.

표 6 약에 관해서 확인해 둘 것

경고 · 금기	• 치명적 또는 중증부작용으로 연결될 가능성이 있으며, 특히 주의를 환기할 필요가 있는 경우에 첨부문서의 본문 서두에 빨강 테두리 · 빨강 글자로 기재
효능 · 효과	• 임상시험 결과, 유효한 증상이나 질환
용법 · 용량	• 임상시험에서 유효성과 안전성이 검증된 범위 내의 투여방법과 투여량
사용상의 주의	• 부작용 : 본래 목적이 아닌 작용 • 상호작용 : 2가지 이상의 약을 병용함으로써 나타나는 부작용

표 7 안전한 투약을 위한 6R

올바른 환자 Right Patient	성명, 생년월일, ID번호
올바른 약 Right Drug	약제명, 약의 형상, 사용기한
올바른 목적 Right Purpose	약효(주작용 · 부작용), 적응질환이나 적응 증상
올바른 용량 Right Dose	투여량, 투여단위, 연령이나 체격에 따른 양
올바른 용법 Right Route	투약경로(경구, 경장, 경정맥 등)
올바른 시간 Right Time	연월일 및 시각, 투여타이밍(식전, 식후, 검사 전 등)

안전한 투약을 위한 확인사항

안전하게 투약하기 위해서, 투여 전에는 반드시 '누구에게, 무엇을, 왜, 어느 정도의 양을, 어떤 방법으로, 언제'의 6가지가 올바른지(Right) 6R을 확인합니다[1](표 7).

경구투약의 타이밍

내복약에는 식전, 식간, 식후, 취침 전 등과 같이 매일 정해진 시간에 정해진 양을 먹는 약과, 증상이 나타나서 필요한 경우에 먹는 약이 있습니다. 투약시간을 깜빡 잊는 것을 방지하기 위해서 식사와 관련된 시간에 설정되어 있는 경우가 많으며, 소화관에 대한 영향을 고려하여 식

표 8 복용시간의 기준

식전	식사 전 약 30~60분	식욕증진제, 제토제, 위점막보호제 등
식후	식사 후 약 30분	위장장애를 일으키기 쉬운 해열제, 그 밖의 약제
식간	식사 후 약 2시간	위점막보호제 등
취침 전	자기 전 약 30~60분	수면제, 하제 등

사의 전후나 식간의 타이밍에 내복합니다[2](표 8).

증상이 있을 때만 필요에 따라 내복하는 것을 '둔복(頓服)'이라고 하며 그 약을 둔복약이라고 합니다. 주요 둔복약에는 진통제, 해열제, 수면제, 강압제 등이 있습니다. 미리 의사의 지시 하에 통증이나 발열, 불면의 호소 등의 증상이 나타났을 때에 사용합니다.

내복 전에는 반드시 본인인 것을 확인하기 위해서 환자에게 이름을 말하게 합니다. 어려우면, 이쪽에서 이름을 부르거나 환자인식밴드와 처방전에 기록되어 있는 이름과 ID번호를 비교합니다.

투약 시 특히 주의할 점

투약 시에는 여러 가지 문제가 생깁니다. 특히 고령자나 인지증환자인 경우는 주의깊게 투약을 실시하는 것이 중요합니다. 다음의 포인트를 주의하여 살펴봅니다.

① 캡슐포장을 통째로 삼키지 않도록 확인한다

시력이 저하되거나 인지기능에 장애가 나타나게 되면, 정제를 캡슐포장에서 꺼내지 않고 삼켜버리거나, 정제를 캡슐포장에서 꺼냈지만 캡슐포장을 삼켜버리는 수가 있습니다.

캡슐포장은 PTP (Press Through Package)시트라고 하며, 알루미늄 등의 얇은 금속과 플라스틱으로 1정씩 나누어져 있습니다. 현재는 1정씩 잘라서 떼어내도록 되어 있지만 캡슐포장의 알루미늄 각이 예리하므로, 흡인에 의해서 구강이나 인두점막뿐 아니라 식도나 장벽 등을 손상시키는 사고도 발생하고 있습니다.

환자가 정제를 캡슐포장에서 꺼내는 것을 확인하거나 캡슐포장에서 정제를 꺼내어 환자에게 건네주는 등 환자에 맞추어 대응합니다.

② 약을 떨어뜨리거나 흘리지 않는지 확인한다

몇 알의 정제를 손바닥에 놓고 입을 크게 벌려서 던져 넣듯이 먹는 환자도 있습니다. 운좋게 모든 약이 입속으로 들어가면 문제가 없지만 때로는 1알, 2알이 잘못 들어가서 바닥이나 침대에 떨어질 수 있습니다. 오후에 청소할 때 아침약을 침대위에서 발견하기도 합니다.

약을 먹을 때는 확실히 입 안으로 들어갔는지를 확인합니다. 약을 떨어뜨리지 않기 위해서는 약숟가락에 넣고 먹게 하거나, 한 알 한 알 집어서 입안에 넣어줍니다. 약을 바닥에 떨어뜨린 경우는 간호사에게 보고하고 새 약을 준비합니다. 바닥에 떨어진 약은 간호사에게 주어 처분하게 합니다.

과립제나 산제 등의 가루약일 때도 마찬가지로 입에서 약이 흘러나오는지 확인하고, 흘러나온 경우에는 그 양을 눈으로 측정한 후 간호사에게 보고합니다. 손가락에 진전(떨림)이 나타나서 입 안에 잘 넣을 수 없는 경우에는 손을 잡고 입 안으로 유도합니다.

③ 구강내에 약이 남아 있는지 확인한다

입 안으로 약이 무사히 들어가도 언제까지나 구강내에 머물러 있으면 의미가 없고, 흡인을 하거나 쓴맛을 느끼는 원인이 됩니다. 충분한 물로 약을 먹게 하고, 정제가 구개에 붙어 있지 않은지 볼과 잇몸 사이에 남아 있지 않은지 확인합니다.

④ 약을 숨기지 않았는지 확인한다

약을 먹는 것을 거부하는 환자 중에는 잠옷 주머니 속에 약을 숨기거나 버리는 경우가 있습니다. 이를 알아차리지 못하면 약이 듣지 않거나 약의 양이 부족하다는 판단에서, 약의 종류를 변경하거나 증량이라는 잘못된 치료로 연결됩니다. 약을 싫어하는 눈치는 없는지, 매일 확실히 내복하고 있는지를 관찰하는 것이 중요합니다.

⑤ 스스로 관리하고 있는 약의 나머지 수가 맞는지 확인한다

간호사가 그때마다 약을 주는 것이 아니라, 스스로 약을 관리하고 있는 환자도 있습니다. 내복을 시작한 시점부터 계산하여 나머지 약의 수가 맞는지를 확인합니다. 남거나 부족한 경우에는 환자에게 이유를 물어 보고 간호사에게 보고합니다.

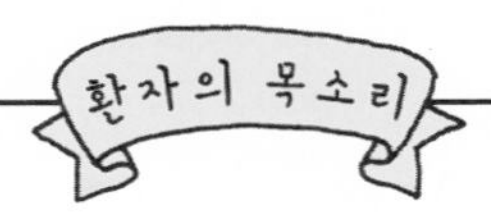

이렇게 약이 많은데,
도대체 무슨 약인지 모르겠네.
쭉 계속 먹어야 하나

그렇다면 질병이 발생하면서 입원 시부터 여러 가지 약을 복용하게 됩니다. 퇴원 후에도 계속 복용해야 하는 약도 있지만 입원 중에 종료되는 약도 있습니다. 어쨌든, 무슨 약을 왜 먹는지 환자 자신이 알아야 합니다. 물어보면 대답할 수 있도록 약의 종류와 효능을 확실히 조사해 둡니다. 또 약효를 설명할 때에는 약을 먹어야 하는 필요성을 이해하고 있는지 확인하는 것도 중요합니다.

부작용으로 흔히 일어나는 증상

약의 부작용이 반드시 일어나는 것은 아니지만, 부작용을 알아두면 증상이 나타났을 때에 당황하지 않고 대처할 수 있습니다. 부작용이 심한 경우에는 의사의 지시에 따라서 약의 종류를 변경하거나, 감량하여 대응합니다. 약에 따라서 발생하기 쉬운 부작용도 있습니다.

① 항균제로 인한 하리

항균제로 인한 항균작용에 의해서 장내의 착한균이 사멸하고 장내세균의 균형이 무너지면, 설사를 일으킬 수 있습니다. 유산균 등의 정장제를 함께 내복하여 예방합니다.

② 해열제나 진통제로 인한 위장장애

위점막의 방어기능이 저하됩니다. 위장약을 함께 처방하여 예방합니다.

③ 아나필락시스 쇼크

드물게 중증 부작용으로서 아나필락시스 쇼크증상이 나타날 수 있습니다. 약물투여 후에 다음과 같은 증상이 나타날 경우 바로 투여를 중지하고 의사에게 보고해야 합니다.

아나필락시스 쇼크

- 객관적인 관찰정보 : 두드러기(약물 알레르기), 쉰 목소리, 재채기, 의식의 혼탁 등
- 주관적인 증상 : 피부가려움증, 인두의 가려움증, 호흡곤란, 심계항진 등

약 복용법의 검토

경구제에는 고형제(정제, 캡슐제 등), 분말제(산제, 과립제 등), 액상제(수제, 시럽제 등) 등이 있습니다.

정제(tablet)를 먹지 못하는 경우는 현탁법(suspension)으로 물에 녹여서 내복하는 방법이 있습니다. 그러나 물에 녹이면 약효가 변하는 약도 있으므로, 주의해야 합니다. 마찬가지로 서방정(성분이 서서히 방출되는 제제) 등 가늘게 으깨서는 안 되는 정제도 있어서 사용상의 주의점을 잘 읽는 것이 중요합니다.

가루약을 먹지 못하는 경우는 오부라이트에 싸서 먹는 방법도 있습니다. 물을 담은 작은 접시 위에 오부라이트를 띄우고, 그 위에 정제를 얹습니다. 이쑤시개 등을 사용하여 가루약을 오부라이트로 싸서, 스프를 먹듯이 물과 함께 약을 먹습니다.

연하능력이 저하되어 있는 환자에게는 복용보조젤리 등의 식품과 함께 내복하는 방법도 있습니다.

내복 후의 가루약 봉투에 약이 남아 있다!

☞원래의 용량이 작을수록 약의 효과가 충분하지 않을 가능성이 있습니다. 내복 후 포장에 약이 남아 있지 않은지 바로 확인합니다. 또 1정을 1/2이나 1/4로 분할한 정제가 다른 정제와 함께 주머니에 끼어 있는 경우도 있습니다. 소량이라도 필요한 약이므로, 남아 있는 경우에는 간호사에게 확인 후 나머지를 복용하게 합니다.

연고를 많이 발라서 환자의 피부가 끈적거린다!

☞여분의 연고는 티슈 등으로 가볍게 눌러서 닦아냅니다. 연고나 크림을 바르는 양의 기준은 손바닥 2개분의 사이즈당, 검지의 제1관절까지 짜낸 양 1 FTU (Finger Tip Unit)로 되어 있습니다.

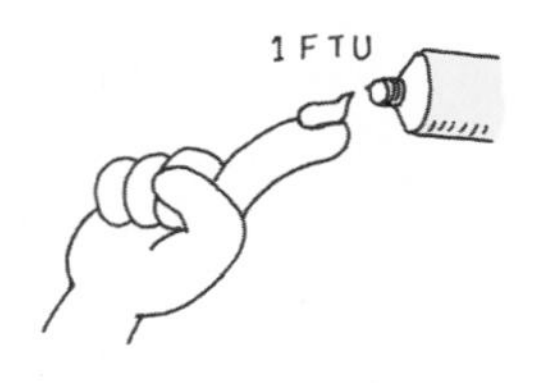

참고문헌

1) 후생노동성 : 신입간호직원연수 가이드라인 기술지도의 예, 2011(http://www.mhlw.go.jp/bunya/iryou/oshirase/dl/130308-2.pdf).
2) 石塚睦子, 黑坂知子 : 실습 · 임상에서 반드시 도움이 되는 약과 주사의 기본 간호학생 · 신입간호사를 위한 알기 쉬운 투약 제5판, 16, 의학평론사, 2013.

관찰의 포인트

IV

1 활력징후

'활력징후 측정하고 오세요' 라고 하는데,
무엇을 해야 하나?

활력징후(vital sign; 생명징후)를 측정하는 것입니다. 활력징후의 측정 연습에서 의식, 체온, 맥박, 호흡, 혈압의 측정법이나 수치 보는 법 등을 배웠습니다(표 1).

활력징후는 그 이름대로 '살아 있는 징후'를 수치로 나타낸 것입니다. 환자의 개별성에 따라서 다소 차이는 있지만, 그 수치가 기준치 범위내에 있는지를 확인하는 것은 환자의 몸 상태를 파악하는 하나의 기준이 됩니다.

표 1 목표가 되는 기준치와 동시에 관찰하는 항목

항목	기준치	관찰항목
체온(T)	36.0~37.0℃	체열감, 안색, 오한, 떨림, 발한
맥박(P)	60~80회/분 리듬 · 강약 · 긴장도	현기증, 심계항진, 호흡곤란
호흡(R)	15~20회/분 리듬 · 깊이	노력성 호흡의 유무, 호흡곤란 입술 · 손톱색, 사지말초의 냉감 유무
혈압(Bp)	수축기 / 확장기 130/85 mmHg 이하	안색, 두통
SpO_2	96~99% 또는 상태 안정시 와의 차가 2% 이내	입술 · 손톱색, 사지말초의 냉감 유무

주관적 정보와 객관적 정보

활력징후와 마찬가지로 중요한 것은 환자의 호소인 주관적 정보(S데이터)와 시진이나 촉진으로 얻게 되는 객관적 정보(O데이터)입니다.

그 날의 몸 상태, 구역질, 구토, 복부팽만감, 복통, 흉통, 식욕 등의 유무와 표정, 안색, 입술색, 사지말초의 냉감 유무 등도 함께 체크해 둡니다.

환자의 대부분이 활력징후 측정은 '간호사가 중요한 정보를 모으는 시간'이라고 생각합니다. 그 때문에 평소에는 묻기 어려운 배설이나 증상에 관한 질문을 하는 절호의 기회라고 할 수 있습니다.

간호 전 · 후의 활력징후 측정

간호에는 깨끗이 닦아주기, 세발, 재활치료 등의 구체적인 부하가 가해지는 지지나 처치도 있는 반면, 신체활동량은 적지만 순환동태에 영향을 미쳐서 의외로 신체부담이 높아지는 관계도 있습니다.

신체적인 부하가 예상되는 관계의 전 · 후에는 활력징후를 측정하고 환자의 몸 상태를 평가해 둡니다. 특히 많이 쇠약한 환자나 순환기에 장애가 있는 환자 등은 몸의 상태변화를 신중히 살핍니다.

환자에게 '바이탈사인을 측정하겠습니다'라고 했더니, 이상한 표정을 지었다!

☞ 바이탈사인이라는 말은 전문용어입니다. '활력징후를 측정하겠습니다', '체온, 맥박, 혈압을 재겠습니다'라고 하지 않으면 환자는 무슨 말인지 의미를 모릅니다.

'호흡을 재겠습니다'라고 말한 후에 호흡수를 셌더니, 환자의 호흡이 얕고 빨라졌다!

☞ 체온이나 맥박, 혈압의 수치는 자신의 의사로 변하지 않지만 호흡만은 그 속도나 깊이가 변할 수 있습니다. 환자가 호흡을 측정하는 것을 의식하게 되면, 평소의 자연스런 호흡을 관찰할 수 없을 수도 있습니다. 호흡수는 맥박을 재는 척 하면서 세는 등 환자가 호흡을 의식하지 않게 하는 방법을 검토합니다.

혈압측정에서 코로트코프음(korotkoff sound)을 0 mmHg까지 청취할 수 있었다. 기록에 0 mmHg라고 기재해야 하나?

☞ 코로트코프음이 들리지 않게 되기 전 마지막으로 들릴 때의 제4음을 '확장기혈압'이라고 합니다. 예를 들면, 제4음이 66 mmHg인 경우, 기록에는 '136/66/0 mmHg'라고 기재합니다. 이렇게 하면, 0까지 들리는 것이 다른 사람에게 전달됩니다.

수치의 보고만으로는 평가라고 할 수 없습니다!

'혈압이 110/60 mmHg였습니다'라는 보고만으로는 평가라고는 할 수 없습니다. 이 수치가 그 환자에게 있어서 높은 것인지, 낮은 것인지, 보통인지까지의 판단이 필요합니다.

활력징후의 기준치는 어디까지나 목표입니다. 중요한 것은 '그 사람에게 있어서 그 수치가 적절한지, 어떻게 변화한 것인지(또는 변화하지 않은 것인지)'입니다.

앞에서 기술한 예에서는 환자의 평소 혈압이 110/60 mmHg이면 문제없지만, 평소에 140/90 mmHg이면 혈압이 저하되어 있어서, 순환부전에 빠질 가능성도 있습니다. 잘못된 판단을 하지 않기 위해서 전회의 수치나 평소의 수치를 확인한 후 혈압을 측정합니다. 이것은 혈압뿐 아니라 다른 평가에도 공통되는 것입니다.

2 신체적 평가 Physical assessment

> 체온, 맥박, 호흡, 혈압.
> 그 밖에 무엇을 관찰하면 되나?

활력징후만 잰 후에, 간호사스테이션으로 돌아와버리는 학생이 있습니다. 모처럼 베드사이드에 갔으니까, 활력징후 측정을 '전신관찰의 절호의 기회'로 삼아 손, 눈, 귀를 사용한 물리적 평가(Physical assessment)를 합니다.

환자의 상태를 파악하기 위해서는 흉부나 복부, 신경학적 소견의 관찰을 빼놓을 수 없습니다.

흉부의 관찰

문진→시진→촉진→타진→청진의 순으로 합니다. 흉부의 관찰에서는 문진과 청진은 반드시 합니다.

① 문진

호흡곤란이나 흉통이 있는지를 반드시 묻습니다. '호흡이 힘든 적은 없습니까?', '가슴이 조이는 것 같은 느낌은 없습니까?' 등을 물으면, 대답하기 쉬울 것입니다.

주의해야 할 점은 아프지 않지만, '위화감이 있다'라는 대답입니다. 이것도 흉통의 일부이므로, 이러한 증상이 갑자기 나타난 경우에는 간호사나 교수님께 보고합니다.

② 청진

호흡 평가에서는 호흡음을 듣습니다. 한 곳에 대고, 호기와 흡기의 호흡 1사이클을 청취합니다. 비디오나 CD 등으로 정상음, 부잡음을 확인해 두면 좋습니다(표 2).

표 2 부잡음의 감별 청취 포인트

주요질환 · 병태	어떤 소리?	명칭	이 소리가 들리는 이유
가래의 저류	포-포-	나음(rhonchi; 코고는소리)	굵은 기관지에 부분적인 협착, 즉 가래 등이 있다.
기관지천식	휴- 휴-	천명음 (wheezing; 피리소리)	천식 발작 등으로 협착된 가는 기관지를 공기가 통과하기 위해서 피리와 같은 높은 소리가 난다.
폐수종 폐렴 만성기관지염	부글부글 보글보글	수포음 (crackles; 물거품소리)	가는 기관지나 폐포에 수분이 고이고, 그곳을 공기가 통과하기 위해서, 작은 거품이 터지는 듯한 소리가 난다.
간질성폐렴 폐기종, COPD	으드득으드득 지지직	폐 염발음	섬유화된 폐포가 부풀며 소리가 난다.

[폐야의 청진례]

폐야 전체를 ① 빠짐없이 ② 좌우를 교대로 비교하면서 ③ 부잡음에 주의하며 청진합니다.

전흉부에서는 쇄골보다 위에 있는 폐첨부나 측흉부의 청진을 잊지 않고 합니다. 등쪽에서는 견갑골 위를 피해서 청진하고 특히 하엽분에서 부잡음이 들리지 않는지 확인합니다.

입으로 호흡하는 소리가 들어가지 않도록, 환자에게 '입을 살짝 벌리고 크게 호흡을 반복하십시오'라고 설명합니다.

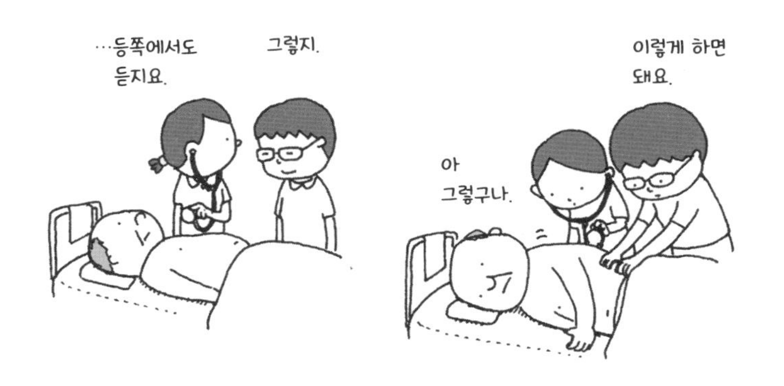

본래는 청취가능한 소리의 성질에서 질환이나 병태를 찾는 것인데, 어려우면 표 2를 참고로, 환자의 질환이나 병태에서 들을 수 있는 소리를 파악하고 청진해 봅니다.

폐야의 청진에서는 좌우 교대로 청진기를 대고 비교합니다. 이때 반드시 '숨을 들이마시고 내뱉는' 1사이클씩 들어봅니다. 특히 자리를 보전하고 누운 환자에게는 침강성 폐렴 등 배부 측의 폐렴을 일으킬 수 있으므로, 측와위를 취하게 하여 전흉부에서뿐 아니라, 배측에서도 확실히 청진합니다. 측와위를 취하는 것이 어려우면, 매트리스를 잡아당겨서 등 아래에 청진기를 집어넣어서 청진합니다.

복부의 관찰

복부는 문진→시진→청진→타진→촉진의 순으로 합니다. 복부 진찰에서는 청진보다 촉진이나 타진이 중요합니다. 복부 진찰과는 순서가 다르므로 주의합니다.

우선 환자에게 통증이 있는 부위를 문진하고 그 부위를 마지막에 관찰하도록 합니다. 통증이 있는 부위에 닿은 자극으로, 그 다음 관찰을 계속할 수 없게 되는 것을 방지하기 위해서입니다. 또 타진이나 촉진의 자극으로 장이 움직이기 시작하여 유동음이 증가하게 되는 것을 방지하기 위해서 청진을 먼저 합니다.

실시 전에는 배설을 끝냈는지 확인하고, 복부 촉진시에는 환자에게 무릎을 세우게 하여, 복근의 긴장을 완화시켜 두는 것도 잊지 않도록 합니다.

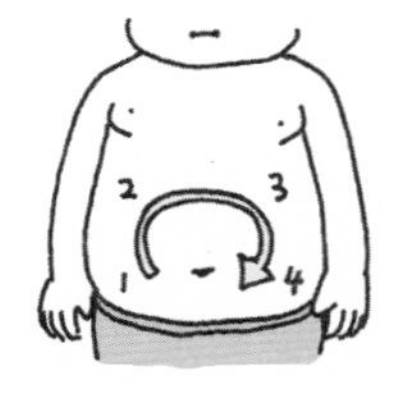

진찰 순서는
장의 주행을 따라서

뇌신경의 관찰

뇌경변이나 뇌출혈 등의 환자에게는 뇌신경계의 신경학적 소견에 관한 평가를 합니다.

의식수준(GCS: Glasgow Coma Scale) 외에 동공의 이상 유무(대광반사, 동공지름), 마비의 유무와 정도(바레징후, Barré's sign), 근력저하의 유무와 정도(MMT: Manual Muscle Testing, 도수근력검사법)가 주된 항목이 됩니다.

또 소뇌에 장애가 있는 경우는 운동실조(ataxia)의 유무와 정도(급속회내회외운동, 손가락 코 검사, 발꿈치 정강이 검사)을 관찰하는 등 뇌의 장애부위에 맞는 물리적 평가를 사용합니다. 신경학적 소견의 평가의 자세한 방법에 관해서는 텍스트나 참고서를 참고하십시오.

3 검사치를 볼 때의 포인트

어떤 환자라도 봐 두는 편이 좋은
혈액검사 항목이 있나요?
검사치에서 무엇을 알 수 있나요?

담당환자가 혈액검사를 받은 것 같은데, 검사치가 쭉 나열되어 있어서 도대체 무엇을 보아야 될지 모르겠다….

처음에는 쭉 나열되어 있는 알파벳의 약어에 당황할 수도 있습니다. 검사치의 텍스트나 질병에 관한 텍스트를 참고로 하면서, 하나하나 확인해 봅니다. 검사치를 '읽을 수 있게' 되면 환자의 질환이나 상태가 '보이게' 됩니다.

검사데이터를 평가에 활용하자

표 3 에 나타낸 기준치는 목표입니다. 자세한 내용은 검사의 텍스트 등을 참고하십시오.

또 이것들은 혈액검사의 극히 일부이므로 이 밖에도 검사항목이 있으면 경과를 관찰합니다. 담당환자에 맞추어 필요한 검사데이터도 수집하여 평가에 활용합니다.

표 3 평가별 필요한 혈액검사데이터

평가	검사데이터	약어	기준치의 목표	왜 이 항목을 보는가?
호흡상태 · 빈혈증상	동맥혈 산소분압	PaO_2	100 mmHg	동맥혈중의 산소나 이산화탄소의 분량은 호흡상태를 반영한다.
	동맥혈 이산화탄소 분압	$PaCO_2$	36~44 mmHg	
	적혈구수	RBC	남성 427~570×10⁴/μL 여성 376~500×10⁴/μL	빈혈이 있으면, 산소를 운반하는 헤모글로빈이 적어지므로, 호흡에 영향이 미친다.
	헤모글로빈	Hb	남성 13.5~17.6 g/dL 여성 11.3~15.2 g/dL	
출혈경향	혈소판수	Plt	15~35×10⁴/μL	혈소판은 출혈을 멈추는 작용이 있어서, 적으면 쉽게 출혈하게 된다
염증징후	CRP	CRP	0.3 mg/dL 이하	몸의 어딘가에 염증이 있으면, 수치가 상승한다.
	백혈구수	WBC	4,000~8,000/μL	면역을 담당하고 있어서, 균이나 바이러스의 침입으로 수치가 상승한다.
영양 · 식사	혈청총단백	TP	6.3~7.8 g/dL	단백질은 신체의 조직을 만드는 원료가 된다.
	혈청알부민	Alb	3.7~4.9 g/dL	
혈당치	글루코스	BS	7.0~110 mg/dL	인슐린이 정상으로 작용하여, 당대사기능이 유지되고 있는지를 파악한다.
	헤모글로빈 A1c	HbA1c	(NGSP치) 4.6~6.2%	
간기능	ALT (GPT)	ALT (GPT)	6–43 IU/L/37℃	간기능에 장애가 없는지 확인한다. 약제나 알콜 등의 영향으로 간기능 장애 시, 이 수치들이 상승한다.
	AST (GOT)	AST (GOT)	11–33 IU/L/37℃	
	γ–GTP	γ –GTP	남성 10~50 IU/L 여성 9~32 IU/L	

평가	검사데이터	약어	기준치의 목표	왜 이 항목을 보는가?
배설 : 요	혈중요소 질소	BUN	9~21 mg/dL	간기능에 장애가 없는지 확인한다. 신장애가 있으면, 이 수치들이 상승한다.
	혈청 크레아티닌	Cr	남성 0.65~1.09 mg/dL 여성 0.46~0.82 mg/dL	
	크레아티닌 청소율	Ccr	91~131 mL/분	
전해질	나트륨	Na	135~149 mEq/L	전해질의 대사기능에 이상이 없는지 확인한다. 고령자는 저나트륨혈증이 되기 쉬우므로 주의가 필요
	칼륨	K	3.6~5.0 mEq/L	
	염소 (크롤)	Cl	96~108 mEq/L	

[참고문헌 高久史麿 감수 : 임상검사데이터북 2013-2014, 의학서원, 2013.]

사고 Accident

V

1 담당환자의 급격한 상태변화

담당환자의 상태가
뭔가 이상해…

실습 중에 담당환자의 상태가 갑자기 나빠지는 경우가 있습니다. 의식저하나 호흡곤란, 흉통 등이 급격히 일어나서 환자의 전신상태가 악화되는 것을 의미합니다. 얼굴이 새파래지거나, 씨익씨익, 하아하아 하며 괴로워하는 모습이 떠오를 수도 있지만 언제나 "알기 쉽게" 상태가 악화되는 것은 아닙니다.

대개는 '조금 전까지 얘기하던 환자가 아무리 흔들어도 일어나지 않는다', '자고 있다고 생각했는데, 입술색이 새파랗고 얼굴이 창백해. 호흡이 너무 조용해' 등 '아니? 뭔가 이상해'라고 생각할 정도의 변화입니다. 환자가 급변하게 되었을 때는 어떻게 대응하면 될까요?

Step 1 주변 도움요청

우선 가능한 그 자리를 떠나지 말고 사람을 부릅니다. '환자상태가 급격히 악화되고 있습니다!', '누가 와 주십시오!'라고 소리칩니다. 베드사이드이면 바로 nurse call을 눌러서 '△호실의 ○○환자가 급변하고 있습니다. 바로 와 주십시오'라고 알립니다.

Step 2 ▸ 의식을 확인

바로 의식을 확인합니다. 귓가에서 '○○씨, 들리십니까?'라고 불러도 반응이 없을 때는 어깨를 두드리거나 몸을 흔들면서 말을 시킵니다. 그래도 반응이 없다면 펜라이트로 동공의 크기(좌우차)와 대광반사를 확인합니다. 뇌출혈 등으로 뇌에 장애가 일어난 경우는 동공부동이나 대광반사의 상실이 나타나는 수가 있습니다.

Step 3 ▸ 호흡과 맥박 파악

숨을 쉬는지 호흡상태를 확인합니다.

이 단계에서 1분간 측정할 시간적 여유가 없습니다. 리듬이나 깊이를 관찰합니다. 동시에 환자 손목의 요골동맥에서 맥을 봅니다. 당황하지 말고 3개의 손가락으로 촉지하며 너무 빠르거나 너무 느리지 않은지, 리듬은 일정한지, 약해지지는 않았는지 등 평소의 맥과 다른 느낌이 있는지를 확인합니다. 이제는 시간과의 승부입니다. 대략 호흡, 맥박을 파악하면서 Step 4의 혈압을 측정합니다.

Step 4 ▸ 혈압 측정

바로 옆에 혈압계가 있으면, 혈압을 측정합니다. 혈압이 너무 낮으면 청진기로 코로트코프음이 들리지 않는 경우가 있습니다. 이 경우도 침착하게, 촉진법을 사용하여 수축기혈압을 측정합니다. 혈압치는 잊지 않도록 메모합니다.

Step 5 ▸ 호흡과 맥박의 정확한 측정

간호사가 도착할 때까지 조금 전 대략 파악해 둔 호흡과 맥박을 1분씩, 제대로 측정합니다.

Step 6 ▶ 간호사에게 보고

간호사가 도착하면, 지금까지의 경과와 측정한 활력징후의 수치를 보고합니다. 간호사는 환자의 대응을 제일 우선으로 움직이므로 방해가 되지 않도록 합니다.

'응급카트!', 'ㅇㅇ선생님 호출해 주세요', '△△가지고 와요' 등을 지시받을 수 있으므로 신속히 대응합니다. 이러한 경우를 대비해서 응급카트의 설치장소는 실습 시작 시에 확인해 둡니다. 또 'ㅇㅇ선생님이 어느 선생님?', '△△가 뭐지?'라고 생각할 수도 있는데, 우선 간호사 스테이션에 가서(급하지만 뛰지 말 것) 그 곳에 있는 간호사에게 물어보면서 대응합니다.

Step 7 ▶ 가족들에 대한 대응

급변할 때는 여러 명이 대처하기 위해 넓은 공간이 필요합니다. 환자의 가족이 옆에 있는 경우는 일단 복도나 대기실 등에서 기다리게 합니다. '안정되면 바로 알려드리겠습니다'라고 한 마디 덧붙이는 것도 잊지 않도록 합니다.

경우에 따라서는 CT나 X선 등의 응급검사가 필요하므로, 이동 등의 도와드릴 일이 있으면 적극적으로 행동합니다.

환자는 '언제나, 어디서나' 잘 넘어집니다

넘어지는 것은 흔히 있는 사고입니다. 고령환자는 물론, 젊은 환자도 익숙지 않은 환경이나 체력의 저하 때문에 넘어질 가능성이 흔히 있습니다.

동작을 시작할 때, 급한 방향전환, 계단, 젖은 바닥 등 본인이 위험하다고 예측하지 못했을 때, 동작을 의식할 수 없을 때에 넘어지기 쉽습니다.

배설과 관련되어 넘어지는 경우가 특히 많으며, '화장실에 가려고 서둘렀다', '일을 마치고 일어서려고 했는데 갑자기 어지러웠다' 등 그 원인도 여러 가지입니다. '화장실은 괜찮겠습니까?', '일어날 때는 반드시 난간을 붙잡으십시오' 등 넘어질 것을 예측하여 주의를 주는 여유 있는 간호가 중요합니다.

만일 넘어졌다면 응급 상태와 같이 대응합니다.

2 폭력 · 성희롱 Sexual harassment

폭력? 성희롱?
설마, 내 담당 환자만은…

폭력을 휘두르거나 성희롱을 할 가능성이 있는 환자를 담당하지 않도록, 임상실습지도자도 교수님도 충분히 주의하고 있습니다. 그러나 간호학생이 환자로부터 폭력이나 성희롱을 당하는 것을 완전히 방지할 수는 없습니다.

폭력에는 때리고 꼬집는 것 외에 차고, 물어뜯고, 머리카락을 잡아당기고, 물건을 던지고, 벽이나 책상을 심하게 두드리고, 침을 뱉는 것 등이 있습니다.

'바보자식', '멍청이', '너', '죽여버리겠어' 등의 폭언을 쏟는 경우도 있습니다. 이것은 이른바 정신적 폭력입니다.

성희롱에서는 가슴이나 엉덩이를 만지거나 껴안는 것 외에도, 휠체어를 이송할 때에 귀에 키스를 하거나, 성적인 말을 하는 경우('가슴이 크네', '몸매가 좋네') 등이 있습니다.

충분히 주의한다고 해도 폭력이나 성희롱을 당할 수 있습니다. 피해를 입었을 때는 다음과 같이 대처합니다.

Step 1 단호한 표현

환자에게 미안하게 생각할 필요가 없습니다. '그만 두십시오'라고 한마디 합니다. 특히 폭언이나 성희롱인 경우는 환자 자신이 알아차리지 못하는 경우도 있으므로 싫다는 감정을 확실히 전달합니다.

Step 2 장소이동

폭력인 경우는 바로 그 자리에서 벗어나서 도움을 청합니다. 성희롱인 경우도 환자의 안전을 확인하면, 바로 그 자리에서 벗어납니다. 혼자서 대응하려고 하지 말고, 그 자리에서 벗어나는 것은 또 다른 피해를 입지 않기 위해서 중요합니다.

Step 3 교수, 간호사에게 상담

피해를 입으면 우선 누군가에게 얘기합니다. 가장 좋지 않은 것은 혼자서 떠안고 있는 것입니다. '이 정도는 괜찮아'라고 그냥 넘어가게 되면, 나중에 생각이 나서 괴로워지거나 또 다른 피해자가 늘어날 가능성이 있습니다.

교수님이나 간호사에게 보고하여 앞으로의 대응책을 강구합니다. 담당환자로부터 피해를 입은 경우는 담당을 계속하지 못하는 경우가 많습니다.

Step 4 후유증 극복방법

학교에 카운슬링 등의 심리적 서포트가 있으면 이용합니다. 심리적 서포트를 해 주는 센터나 연락처를 모르면 교수님이나 학교에 문의하십시오. 자신의 감정을 무리하게 억누르지 마십시오. 누군가에게 고민을 털어놓음으로써 기분이 조금씩 가벼워집니다.

친구, 동료의 상담

폭력이나 성희롱을 당한 친구로부터 피해사실을 듣게 되는 경우도 있을 수 있습니다.

그 때는 이야기를 잘 들은 후에, '○○씨, 매우 불쾌했겠어요. 큰일날 뻔 했어요'라고 본인의 기분을 이해하도록 합니다. 그리고 '또 ○○씨가 또 이상한 생각을 하거나 같은 생각을 하는 사람이 늘지 않도록, 이것을 선생님께 알리는 편이 좋겠어요. 만일 괜찮다면 함께 갈 수도 있고 대신 내가 선생님께 얘기할 수도 있어요' 등의 조언을 합니다.

중요한 것은 두 사람만의 비밀로 하지 않는 것입니다. 교수님이나 간호사에게 알리지 않은 채 있으면, 고민하는 사람이 한 사람 더 늘은 것으로 끝나버리고 아무 해결도 안됩니다.

피해를 당하지 않도록

성적인 것을 연상시키는 것(과도한 메이크업이나 짧은 스커트 등)을 삼가며, 실습가운을 단정하게 착용합니다.

또 피해를 당하면 반드시 보고합니다.

아무리 조심해도, 본인에게 실수가 없어도, 피해를 당할 가능성이 제로가 되지 않는 것이 폭력이나 성희롱입니다. 그 후의 대응을 확실히 하여, 피해를 최소화하는 것이 중요합니다.

실습기록 작성법

문장을 잘 못써요.
항목별로 나열만 하게 되고,
전달하는 문장표현을 못하겠어요.

실습 중의 기록이라고 하면 간호과정, 매일의 행동계획과 그 실시기록, 매일의 회고문서, 실습의 최종리포트, 포트폴리오 등이 있습니다.

또 반드시 제출할 필요가 없는 실습 전 · 중 · 후의 학습노트, 차트정보나 환자와 대화한 내용의 메모기록(정보수집용 메모장 등)도 기록의 하나로 파악합니다. 또한 자기 이외의 사람도 읽게 되는 것을 염두에 두고 익명성을 유지하며, 정중한 문제와 글자로 기록해 둡니다.

왜냐하면 사전학습의 제출을 교원이나 간호사가 요구하는 경우도 있고, 메모종이가 메모장에서 떨어진 경우, 그것은 단순한 메모장의 분실이 아니라 기록물의 분실이라는 중대한 사고로 취급되기 때문입니다.

실습기록은 메일이나 혼자 중얼거리는 것과는 다릅니다!

공적 기록인 실습기록에 얼굴문자(^-^)나 (웃음)은 필요없습니다. 메일이나 twitter의 표현에 '읽기 쉬움·전달하기 쉬움'의 룰이 있는 것처럼, 일반 문장표현에도 룰이 있습니다.

LINE, twitter의 중얼거림 등의 표현에 익숙해져서, 기본적인 문장작법을 지키지 않는 사람도 늘고 있는 것 같습니다. 한자 내려쓰기나 마침표·쉼표 사용법 등의 기본은 물론, 단락이나 목차구성 등의 구성룰도 복습해 둡니다.

기록 작성법 복습

기본적인 룰을 몇 가지 소개하겠습니다.

① 읽기 쉬운 글자로 쓰자!

제출물은 물론, 자기학습노트 등도 갑자기 제출하게 되는 수가 있습니다. 그런 경우에도 당황하지 말고, 읽기 쉬운 깨끗한 글자로 작성합니다. 이것이야말로 기본 중의 "기본"입니다.

② 개정 후에는 한 자 들여쓰기를 한다

개정 후 줄의 첫 글자는 앞줄보다 1자 들여씁니다. 이렇게 함으로써 단락(paragraph)이 바뀌고, '이제부터는 다른 화제입니다'라는 것이 명확해집니다.

③ 마침표나 쉼표를 제대로 찍는다

마침표(.)는 문장의 끝에 붙입니다. 항목별 나열 등에는 없어도 되지만, '붙인다, 붙이지 않는다'는 통일합니다.

쉼표(,)의 위치나 사용빈도의 판단이 어려운 경우는, 완성한 문장을 소리내어 읽어 봅니다. 자연스런 흐름으로 읽을 수 있고, 숨쉬기가 제대로 되고 있는지, 듣고 있는 사람에게 내용이 바르게 전달되는지가 기준이 됩니다.

④ 회화의 괄호(' ') 속 이외에서! 나!를 사용하지 않는다

회화문 속에서 '오늘 저녁밥은 무엇일까!', '아파!' 등으로 사용하는 것은 문제가 없습니다. 그러나 실습기록이나 평가 중에서 '발열이 있는 것은 폐렴 때문인가!', '환자가 넘어져서 깜짝 놀랐다!' 등과 같이 쓰는 것은 안됩니다.

⑤ 문체를 적합하게 사용한다

문체에는 경어체와 보통체가 있으며, 목적이나 상황에 따라서 적합・부적합이 있습니다(표 1). 실습 중의 기록의 대부분은 설득력도 있고 간결한 보통체인 '~이다'로 씁니다. 중요한 점은 문장 속에서 문체를 통일하는 것입니다.

표 1 문체의 적절한 사용

문체		특징	적합한 글
경어체	입니다	정중한 인상을 준다 온화한 인상을 준다	설명문, 환자용 팸플릿 등
보통체	이다	단정적이다 간결한 문장이 된다	간호과정, 실습기록, 리포트, 논설문, 조목나열, 주의사항 등

개인정보의 취급

▶ 실습기록을 둔 곳을 잊어버리다니, 너무 가볍게 생각하고 있는 건 아닌가요?

편의점에서 수업노트를 복사하고 복사기에 원본을 둔 채 잊어버려서 서둘러 찾으러 간 경험이 있습니까? 지금까지라면 자신이 곤란할 정도일 것입니다.

그러나 실습기록이나 메모장에는 담당환자의 개인정보가 기재되어 있고, 그 정보들이 누설된 경우에는 학교나 병원도 연루된 큰 윤리적 문제로 발전될 우려가 있습니다.

담당환자에게는 실습에서 협력을 받은 내용을 미리 설명하고 이해를 구한 후에, 동의서 등을 통해서 양해의 의사표시를 받고 있습니다. 마찬가지로 학생에 대해서도, 환자의 개인정보를 보호하기 위한 익명성을 지키고, 실습에서 알게 된 환자의 정보를 타인에게 누설하지 않는다는 비밀보호의 원칙에 관해서 계약서를 교환하는 학교도 늘고 있습니다.

정보가 누설되면 환자에게 불이익을 초래할 뿐 아니라, 의료인과 환자 · 가족 사이의 신뢰가 훼손됩니다. 또 불신감은 새로운 불이익을 환자에게 줄 수도 있습니다.

▶ 가해자가 되지 않기 위해서

- 개인이 특정되지 않도록 모든 기록물에서 익명성을 지킨다.

예 이름이나 연령을 명확히 기재하지 않는다. Y씨(환자이름과 관련 없는 알파벳을 사용), 5X세 또는 50대 등으로 한다.

- 식당이나 통학 도중의 차내에서 기록하지 않는다, 읽지 않는다, 이야기하지 않는다.
- 편의점 등에서 복사를 하지 않는다. 학내의 복사기를 사용한다.
- 실습기록이 담긴 USB 메모리 등은 절대로 분실하지 않는다. 필요 이상으로 가지고 다니지 않는다.
- 실습기록, 차트, EMR 연 채 자리를 뜨지 않는다.
- 차내나 도로에서 다른 사람과 환자 얘기를 하지 않는다.
- Facebook, LINE, twitter 등 SNS상에서는 환자나 병원에 관해서 언급해서는 안 된다.

마지막 2가지는 실습기록과는 직접 관련이 없지만 깜빡 잊기 쉬운 것이므로 주의해야 합니다.

COLUMN 03

컨퍼런스

컨퍼런스는 문제점이나 개선하려는 사항에 관해서 다른 사람의 의견을 듣고 정보를 공유하며, 해결책을 찾기 위해서 서로 토론하는 것입니다. 실습에서 체험하는 컨퍼런스에는 '케이스 컨퍼런스'(담당환자의 간호에 관해서 의견을 교환한다)나, '최종 컨퍼런스'(실습 후반에 전체적으로 되돌아보거나 배운 것을 확인한다), '어려웠던 점을 서로 얘기하는 컨퍼런스'(예를 들면, 치료를 거부하는 담당환자와의 관계에 관해서 서로 토론하다) 등이 있습니다.

간호사도 문제의 발견이나 해결, 업무개선 등을 위해서 컨퍼런스를 여는 경우가 많으며, 정기적으로 간호사끼리만이 아니라 타직종과 함께 토론하는 기회를 마련하고 있습니다. 장래, 직장에서 일어나는 문제해결의 일부분을 담당할 수 있도록, 학생시절부터 적극적으로 참가합니다.

컨퍼런스에서의 역할

멤버	역할
참가자	* 주제와 목적을 이해하고, 필요에 따라서 사전학습을 해둔다. * 활발하게 서로 의견을 제시하며, 건설적인 장이 되도록 노력한다. * 멤버의 발언을 인정하고, 모두가 발언하기 쉬운 장을 만든다.
사회자	* 테마 · 시간 · 장소를 사전에 제시한다. * 사회진행 • 참가자에게 발언을 촉구한다. • 주제에서 크게 벗어나지 않도록, 내용을 조정한다. * 교수님께 조언을 받는다. * 시간의 관리
서기 (필요시)	* 토의내용을 기록한다. * 사회자를 서포트한다. * 참가자로서 발언한다. * 마지막에 포인트를 정리한다.
사례제공자 (케이스 컨퍼런스인 경우)	* 사례를 알기 쉽게 참가자에게 설명한다. * 필요에 따라서 자료를 작성하고 배부한다.

집으로 귀가

오늘도 하루가 끝났구나!
자, 집으로 돌아가야지.
아니? 근데 뭔가 잊어버린 것 같은데…

계속 긴장하던 임상에서의 하루를 끝내고 친숙한 홈그라운드로 돌아가려니, 왠지 마음의 긴장이 풀리게 됩니다.

하지만 돌아가기 전에 다시 한 번 신변을 확인합니다. 하루의 실습이 끝나면, 임상을 아름답게 떠나는 것도 중요합니다.

퇴근 전 점검

① 로그아웃의 확인

병원에서 이용하는 EMR, 도서검색서비스 등 패스워드를 사용하여 로그인한 시스템에서 로그아웃했는지 확인합니다.

② 포켓을 점검한다

체온계, 환자의 ID카드, 사용하지 않은 낱개포장의 알콜솜, 나중에 조사하려고 넣어 둔 내복약의 약봉지 등이 탈의실에서 발견되는 수가 있습니다. 병동을 나오기 전에 다시 한 번, 실습복의 주머니를 확인합니다.

③ 병원균을 "선물"하지 않는다

눈에 보이지 않는 MRSA(메티실린내성 황색포도구균) 등의 병원성 미생물을 선물로 가지고 돌아가서는 안됩니다. 임상에서 사용한 마스크는 임상에서 폐기하십시오. 접어서 주머니에 넣었다가, 전차를 타면 다시 사용하자! 등은 의료인 실격의 행위입니다.

임상을 나서는 가장 마지막에 손을 흐르는 물로 깨끗이 씻고 개운한 기분으로 임상을 떠납니다.

퇴근 후 점검

전철에 흔들리며 졸다가, 실습기록이나 실습복을 전철에 두고 내렸다! 등의 사고가 의외로 많습니다.

익숙하지 않은 환경에서 하루 종일 실습하므로, 자신도 모르는 사이에 긴장하여 피로가 쌓여 있을 것입니다. 다리가 빵빵하게 붓거나 발뒤꿈치가 아프기도 합니다.

예습이나 복습이 중요하지만 우선 몸과 마음을 푹 쉬게 합니다. 식사와 목욕을 하고 충분히 잠을 자며 내일을 준비하십시오.

COLUMN 04

자기 전 셀프 모니터링

자리에 눕기 전에 자신의 상태를 체크해 봅니다.
실습 중에는 천천히 쉬면서 생각하기가 어려운 법.
하루 1번은 자신을 직시하는 시간도 필요합니다.

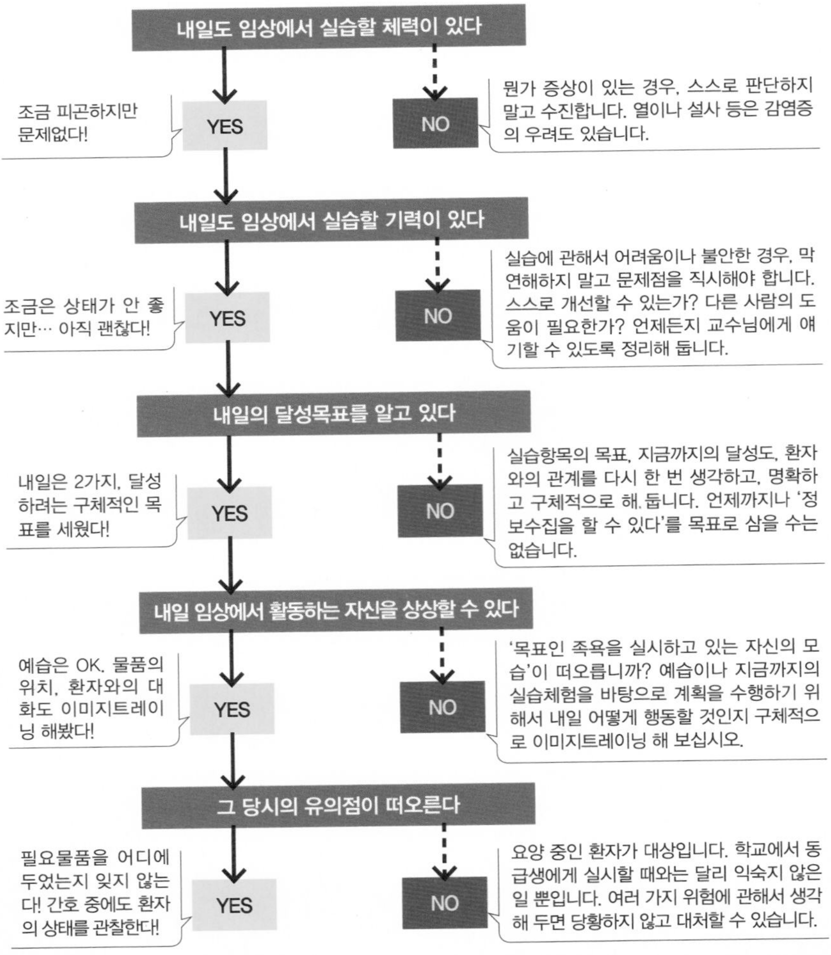

내일도 임상에서 실습할 체력이 있다

- YES: 조금 피곤하지만 문제없다!
- NO: 뭔가 증상이 있는 경우, 스스로 판단하지 말고 수진합니다. 열이나 설사 등은 감염증의 우려도 있습니다.

내일도 임상에서 실습할 기력이 있다

- YES: 조금은 상태가 안 좋지만… 아직 괜찮다!
- NO: 실습에 관해서 어려움이나 불안한 경우, 막연해하지 말고 문제점을 직시해야 합니다. 스스로 개선할 수 있는가? 다른 사람의 도움이 필요한가? 언제든지 교수님에게 얘기할 수 있도록 정리해 둡니다.

내일의 달성목표를 알고 있다

- YES: 내일은 2가지. 달성하려는 구체적인 목표를 세웠다!
- NO: 실습항목의 목표, 지금까지의 달성도, 환자와의 관계를 다시 한 번 생각하고, 명확하고 구체적으로 해 둡니다. 언제까지나 '정보수집을 할 수 있다'를 목표로 삼을 수는 없습니다.

내일 임상에서 활동하는 자신을 상상할 수 있다

- YES: 예습은 OK. 물품의 위치, 환자와의 대화도 이미지트레이닝 해봤다!
- NO: '목표인 족욕을 실시하고 있는 자신의 모습'이 떠오릅니까? 예습이나 지금까지의 실습체험을 바탕으로 계획을 수행하기 위해서 내일 어떻게 행동할 것인지 구체적으로 이미지트레이닝 해 보십시오.

그 당시의 유의점이 떠오른다

- YES: 필요물품을 어디에 두었는지 잊지 않는다! 간호 중에도 환자의 상태를 관찰한다!
- NO: 요양 중인 환자가 대상입니다. 학교에서 동급생에게 실시할 때와는 달리 익숙지 않은 일 뿐입니다. 여러 가지 위험에 관해서 생각해 두면 당황하지 않고 대처할 수 있습니다.

COLUMN 05

임상에서 환자의 죽음

환자가 돌아가셨을 때, 마지막으로 간호사가 제공할 수 있는 케어인 엔젤케어가 있습니다. 돌아가신 환자의 몸을 청결히 하고 화장을 하며, 상처를 커버하는 등의 처치를 할 뿐 아니라 남겨진 가족에 대한 케어도 중요시하고 있습니다.

담당환자가 돌아가신 경우 등은 학생도 간호사나 가족과 함께 지지하는 수가 있습니다. '너무 슬프다', '머리가 혼란스럽다', '무섭다' 등인 경우에는 거절해도 됩니다. 교수님이나 지도자에게 솔직한 마음을 전달합니다.

호스피스 간호에 임할 때는, 실습에서 신세를 진 감사의 마음을 담아 사후에도 존경하는 한 사람으로서 살아 있을 때와 마찬가지로 환자를 배려합니다.

케어를 마친 후에 환자에 관해서 떠올리며 괴로워지는 경우도 있습니다. 사람의 죽음을 접했으니까 당연합니다. 개인정보에 관한 일이므로 누구에게도 얘기해서는 안 되지만 담당교수님, 지도자, 간호사, 학교에서 언제나 상담하고 있는 교수님 등과 대화를 해 보십시오. 반드시 힘이 되어 줄 것입니다.

참고문헌 小林光惠 : 설명할 수 있는 엔젤케어 40의 대화 · 설명례, 의학서원 2011.

한글

기타

영어